CLINIQUE VALROSE

Le rêve de Fabienne

Francine Allard

CLINIQUE VALROSE

Le rêve de Fabienne

LES ÉDITIONS LA SEMAINE
Charron éditeur inc.
Une société de Québecor Média
1055, boul. René-Lévesque Est, bureau 205
Montréal (Québec) H2L 4S5

Directrice des éditions: Annie Tonneau
Directrice artistique: Lyne Préfontaine
Coordonnateur aux éditions: Jean-François Gosselin
Photo de l'auteure: Maxyme G. Delisle
Réviseures-correctrices: Monique Lepage, Marie Théorêt, Francoise de Luca
Infographie: Echo international

Les propos contenus dans ce livre ne reflètent pas forcément l'opinion de la maison d'édition.

L'éditeur bénéficie du soutien de la Société de développement des entreprises culturelles du Québec (SODEC) pour son programme d'édition.

Nous reconnaissons l'aide financière du gouvernement du Canada par l'entremise du Fonds du livre du Canada pour nos activités d'édition.

REMERCIEMENTS
Gouvernement du Québec (Québec) — Programme de crédit d'impôt pour l'édition de livres — Gestion SODEC

© Charron Éditeur inc.
Dépôt légal: premier trimestre 2014
Bibliothèque et Archives nationales du Québec
Bibliothèque et Archives Canada

ISBN (version imprimée): 978-2-89703-166-4
ISBN (version électronique): 978-2-89703-167-1

À mon cher docteur Cardin,
qui a partagé avec moi
le rêve d'une vie.

*Les médecins les plus dangereux sont ceux qui,
comédiens-nés, imitent le médecin-né avec un art
consommé de l'illusion.*

Friedrich NIETZSCHE,
Humain, trop humain (1879)

1.

Jeanne Beaulieu s'écroula. Le propriétaire du marché d'alimentation où elle travaillait depuis bientôt dix ans venait de lui faire parvenir une lettre comme il avait dû en envoyer une à tous ses compagnons de travail. Elle relut trois fois plutôt qu'une les mots qui dansaient devant ses yeux, bleus comme la tristesse qui l'envahissait. « Nous sommes dans l'obligation de vous informer que, dès le premier septembre, notre entreprise fermera ses portes, et c'est la tristesse dans l'âme... », écrivait monsieur Lagüe. Jeanne croyait vraiment en cette tristesse que pouvait éprouver le propriétaire de l'épicerie Lagüe et Fils. Elle n'allait pas se mettre à pleurer ou à accuser tous les riches propriétaires de s'en mettre plein les poches après avoir procédé à des mises à pied injustes. Ou à courir dans les bras de Jean Sauvé, le boucher anarchiste qui tentait depuis deux ans d'implanter de manière sauvage la culture syndicale chez Lagüe.

Jeanne était une mère monoparentale. Toutefois, elle ne se sentait plus un cas isolé avec ce nombre incroyable de femmes qui élevaient seules leurs enfants, toutes victimes de n'avoir pas trop réfléchi avant de dire « oui » un matin d'été, devant Dieu et leurs belles-sœurs. Elle avait pourtant été obligée de bien réfléchir avant d'accepter la demande en mariage de Jean-Marc Cauchon. Pas seulement à cause d'un nom de famille qu'elle détestait, mais aussi parce que Jean-Marc avait, pour la bière et le *dry gin*, une affection toute particulière qu'elle avait cru pouvoir endiguer par des touches délicates et des petites douceurs conjugales. Comme elle avait été naïve ! Jean-Marc n'avait jamais quitté le houblon et cachait des bouteilles de Beefeater derrière son établi dans la cave. L'alcool était venu à bout de leur passion. Jean-Marc Cauchon avait justifié son patronyme disgracieux en trompant Jeanne avec une employée de la compagnie de téléphone. Quand elle l'avait appris et que l'avaient appris du même souffle ses quatre filles, ces dernières avaient encouragé leur mère à le jeter dehors. Et pour être certaines que leur père ne revienne jamais hanter la quiétude de Jeanne, elles avaient porté tous ses effets personnels à l'Ouvroir de la paroisse : ses vêtements, ses chaussures, ses magazines et sa collection de timbres. Des filles déterminées, s'était dit alors Jeanne Beaulieu, convaincue d'avoir réussi leur éducation.

Jeanne déposa la lettre de l'épicerie Lagüe et Fils et ses pensées se mirent à bourdonner, comme un essaim d'abeilles enragées. Elle allait entamer un processus de recherche d'emploi qui aurait au moins le mérite de l'empêcher de tomber dans la déprime. Jeanne détestait la déprime et ne l'acceptait pas non plus chez ses amies. Elle était de fréquentation agréable, mais ne supportait aucunement les amies revanchardes et les pleureuses italiennes. Jeanne s'était, elle, relevée d'un choc inégalé qui tenait de la haute trahison. Son mari, après vingt-quatre ans de mariage, avait pris maîtresse. Jeanne allait, cette fois encore, trouver une solution.

Sa fille aînée, Lison, travaillait pour une firme de communications après des études dans ce domaine. La deuxième, Natacha, étudiait en sciences biologiques à l'université; la troisième, Pauline, végétait au cœur des beaux-arts et venait d'installer sa première exposition en galerie montréalaise; et le bébé, la petite Sophie, terminait son secondaire. Jean-Marc était parti dix ans auparavant. Jeanne, qui jusque-là était une mère à la maison, était entrée au service de l'épicerie Lagüe, et elle aimait cet emploi. En fait, elle était du genre qui aurait aimé n'importe quel emploi. Vendeuse de frivolités autant que secrétaire d'un dentiste. Elle avait cinquante-quatre ans et avait eu la chance de faire son cours classique dans une école dirigée par les sœurs de la Congrégation de Notre-Dame, apprenant le latin, la chimie et le savoir-vivre des jeunes filles. Ainsi, elle possédait quelques atouts qui la rendaient agréable en toute société, dans une épicerie comme dans un bureau de dentiste.

Vers 14 heures, afin de ne pas prendre de décisions à la légère, Jeanne Beaulieu sortit marcher un peu jusqu'au parc où songeaient à s'enfuir les feuilles des arbres, teintées d'ocre, assistées par le vent vif de ce bel après-midi de fin août. Elle ne rencontra personne sur le boulevard Notre-Dame, convaincue que les femmes avaient toutes déserté leurs maisons, car aucune d'entre elles n'avait les moyens d'embaucher une nounou réputée parmi celles qui roulaient les landaus sur les lacets poussiéreux du parc Beurling, parmi les bosquets de chèvrefeuille. Quand elle arriva au croisement du boulevard et de la rue Rose-de-Lima, Jeanne eut une apparition. Une affiche blanche sur laquelle elle put lire :

OUVERTURE DE LA CLINIQUE MÉDICALE
VALROSE
3 septembre prochain
Pour un rendez-vous, appelez le 450 441-0001

Jamais affiche n'aurait pu représenter plus grand soulagement pour Jeanne ! Une clinique médicale où elle pourrait offrir ses services de réceptionniste, elle qui avait un langage soigné et de belles manières.

Spontanément, elle poussa la porte, qui s'ouvrit. Deux manœuvres s'affairaient à terminer le plâtrage d'un mur nouvellement construit. Sous des bâches de plastique, on avait entreposé des bureaux et des armoires. Dans le long corridor peint en jaune paille, Jeanne put compter, d'un coup d'œil, une vingtaine de classeurs métalliques et une pareille quantité de grandes roues qui ressemblaient à des gouvernails de navires. Des douzaines de boîtes étaient empilées comme les pièces d'un jeu de Lego et quatre appareils téléphoniques attendaient de prendre la parole, posés sur une crédence. Les plâtriers fixèrent Jeanne un moment sans trop lui prêter attention. Elle fit quelques pas vers l'arrière de l'édifice, se doutant qu'elle n'était peut-être pas la bienvenue. Le 3 septembre était dans quelques jours et les travaux semblaient aller bon train.

Elle toussa deux fois pour attirer l'attention, replaça une mèche rebelle, retapa son chemisier et une porte s'entrouvrit. Une femme en sortit. Petite, les cheveux bouclés, elle devait avoir l'âge de Lison. Quand elle aperçut la visiteuse, elle sourit. « C'est déjà ça », se dit Jeanne en répondant au sourire de la jeune femme.

— Bonjour, que puis-je pour vous ? La clinique n'est pas encore ouverte, comme vous pouvez voir.

— Je ne viens pas pour consulter. Je passais ici par hasard et comme je viens de perdre mon emploi…, expliqua Jeanne.

— Ah, dommage ! Il y a beaucoup de mises à pied dans le quartier, ajouta la jeune femme avec compassion. Alors, vous êtes là pour un emploi ?

— Je me disais que vous aviez peut-être besoin d'une bonne réceptionniste. J'aimerais beaucoup répondre au téléphone, recevoir les patients. J'ai toujours été bien accueillante. Je m'appelle Jeanne Beaulieu. J'habite à côté.

— Moi, c'est Fabienne Lanthier. Je suis médecin, annonça-t-elle avec une telle fierté dans le regard que Jeanne l'aima tout de suite.

Une nouvelle clinique ! Comme elle devait être excitée, cette jeune docteure Lanthier ! C'était nouveau, toutes ces filles en médecine. Ô combien elles seraient appréciées et combien habitées de sollicitude ! Elle posa sur la docteure Lanthier un regard tendre comme celui qu'elle réservait habituellement à ses filles.

— Nous avons tout notre personnel depuis presque un mois. Je suis désolée. Mais on commence. Je vais prendre vos coordonnées et si jamais la clientèle devenait plus importante, je vous téléphonerai.

— Je comprends. Je me suis présentée comme un cheveu sur la soupe. Je comprends que le 3 septembre va venir vite et que vous devez être prêts. Vous êtes plusieurs ?

— Nous sommes quatre. Tous des collègues d'université. Il y a le docteur Benoît Raymond, le docteur

Mathieu Crevier et la docteure Mélissa O'Brien. On commence notre pratique active le 3 septembre exactement. J'ai hâte de voir s'il y aura une file devant la porte. D'habitude, les patients se méfient des jeunes qui débutent. Ma collègue a envoyé des communiqués dans les journaux régionaux. Je ne crains pas. Ça devrait fonctionner.

— Vous ne pouvez pas offrir le deuxième gratuit ou ne pas faire payer les taxes… Les soins de santé sont gratuits, ajouta Jeanne avant d'éclater de rire. Je vais vous écrire mon numéro de téléphone, au cas où. Je suis bonne avec le public et j'ai fait mes études classiques chez les religieuses. Je suis très bien élevée.

— Mariée ?

— Séparée depuis dix ans. J'ai quatre filles de dix-sept à vingt-quatre ans. Tiens, ça me fait penser aux *Quatre filles du docteur March*. Vous l'avez lu ?

— Je ne connais pas.

— C'est de Louisa May Alcott. Ma grand-mère me l'a offert quand j'ai commencé à lire des romans. Je devais être en cinquième année. Je le connais encore par cœur.

Jeanne était retournée dans son passé, les yeux rêveurs, fixant le plafond qui n'avait pas fini de sécher. La docteure Lanthier reçut un appel sur son portable et elle s'éloigna de Jeanne comme pour garantir la confidentialité à son interlocuteur. Elle émit quelques

grognements, un petit «merde» sec, elle sourit, puis
releva la tête du côté de Jeanne et termina sa conversation :
«Ça va aller, vous êtes très gentille de m'avoir appelée.
Oui, je vous jure que ça va aller. »

— Eh bien, poursuivit-elle en attrapant la fiche
blanche que lui tendait Jeanne Beaulieu après avoir
inscrit ses coordonnées. Ma chère, vous êtes notre nouvelle réceptionniste ! On commence lundi.

— Lundi ?

— Il faut que je vous présente aux autres et que
nous placions les filières, les meubles, les appareils
téléphoniques, les tables. Chaque médecin installe lui-
même son cabinet, mais pour tout le reste, il faut des
bras. Venez que je vous fasse visiter la clinique. Ici, vous
avez la réception avec, au fond, le bureau du médecin
de garde à l'urgence. La clinique sera ouverte sept jours
sur sept. Nous avons embauché une réceptionniste de
fin de semaine, une étudiante. Vous travaillerez cinq
jours de 9 heures à 16 heures et une autre personne
prendra votre poste de 16 heures à 22 heures. Ça vous
convient ? Jeanne, c'est la providence qui vous a envoyée.
Imaginez si vous ne vous étiez pas arrêtée en passant, le
travail que j'aurais eu à faire sans savoir si j'allais
trouver la perle rare ! Vous êtes cette perle rare.

Jeanne flottait dans cet espace aseptisé et réconfortant. Puis la docteure Lanthier lui fit visiter les cinq
cabinets de consultation, les deux petites salles de

l'urgence ainsi que le large cagibi servant à entreposer les échantillons offerts par les compagnies pharmaceutiques.

— À moins d'avoir la permission d'un des médecins, aucun membre du personnel ne peut se servir dans les médicaments. Les représentants des pharmaceutiques nous les donnent en échantillons pour les offrir aux patients nécessiteux. On doit les garder pour eux.

— Moi, je ne fouillerais jamais dans les affaires des autres, vous pouvez me croire.

— Vous apportez votre dîner, nous avons prévu une salle de réunion qui sert aussi de cuisine pour les médecins et les employés. Lundi, vous connaîtrez les autres filles et… le garçon.

— Ah oui ? Un garçon ? Pour faire quoi ?

— Réceptionniste de l'horaire du soir. C'est moi qui ai eu l'idée d'embaucher un gars. Il est très gentil, vous allez voir. Il s'appelle William et il est spécial, si vous comprenez ce que je veux dire. Pas un garçon comme les autres, mettons.

— William est homosexuel ?

— C'est ça. Et comme bien des homosexuels, il a une écoute particulièrement attentive, il est très généreux et affectueux avec les enfants. Dans ce quartier, il y a beaucoup d'enfants. William les recevra comme des princes et des princesses. Il a pensé à un coffre rempli de surprises pour les enfants. N'est-ce pas assez chou ?

Jeanne riait devant l'enthousiasme débridé de la docteure Lanthier qui, il n'y avait pas si longtemps, devait elle-même être une petite princesse.

Vers 16 heures, Jeanne sortit de la clinique Valrose en se disant que Dieu faisait encore bien les choses. Elle avait oublié de parler du salaire. Des journées de maladie. Des congés fériés. Peu importe : elle allait élucider ces questions lundi. Elle était certaine de se plaire dans cette clinique, dans ce milieu qui rendait les gens heureux en leur redonnant parfois leur santé. C'était plus honorable de dire : « Je travaille dans une clinique médicale » que : « Je suis caissière chez Lagüe et Fils. »

2.

Le 2 septembre, veille de l'ouverture officielle de Valrose, les employés furent rassemblés dans la salle de réunion après deux semaines de travail intense. C'est le docteur Benoît Raymond qui s'adressa à tous avec un petit air un peu snob de politicien devant son équipe de bénévoles.

Les téléphones hurlaient déjà depuis une semaine, prouvant hors de tout doute que la population environnante avait un urgent besoin de soins de santé. Certains appelants posaient des questions précises sur leur état physique du moment. Jeanne répondait poliment qu'elle n'était pas médecin, que la clinique n'ouvrait que le 3 septembre, puis elle offrait un rendez-vous dans les prochains jours. Elle avait devant elle quatre grands cahiers de rendez-vous indiquant l'horaire de chaque médecin; la veille de l'ouverture officielle, les lignes étaient remplies des noms de tous les patients à venir avec leur numéro de téléphone. Jeanne était satisfaite: la clinique pouvait ouvrir, les médecins ne chômeraient pas. Elle avait connu quelques problèmes avec ces patients qui ne voulaient surtout pas une femme médecin, mais elle conservait une certaine fermeté dans ses propos. Ces patients — qui portaient des noms qu'elle avait dû leur demander d'épeler — ne pouvaient pas, avait-elle lu dans les journaux, accepter de se faire soigner par une femme. Jeanne riait en racontant cela à ses compagnes de travail : montrer son appareil à une femme ne devait être facile pour aucun homme.

Le docteur Raymond souhaita la bienvenue et adressa des remerciements nourris à tous les employés, qu'il convia pour le vendredi 25 octobre au cocktail de l'ouverture médiatique de la Clinique médicale Valrose, ne manquant pas d'ajouter que la députée provinciale, le maire et deux de ses conseillers avaient répondu favorablement à l'invitation. Tous allaient rentrer chez eux avec l'angoisse des débutants dans une atmosphère de rires et de taquineries quand, soudain, un jeune homme très élancé, portant sacoche en bandoulière et talons rehaussés d'une grosse semelle, se présenta devant le groupe. C'était William Frenette, le réceptionniste de soir qui, de retour de vacances à Cuba, rencontrait ses compagnes de travail pour la première fois. Il était très efféminé. Le docteur Raymond le présenta aux autres après lui avoir demandé s'il avait l'intention de toujours arriver en retard au travail. William en fut très gêné, mais se mit à rire.

— J'avais averti la docteure Lanthier que je serais là ce soir. Et je serai là demain à 16 heures, c'est promis. *On the spot*. Derrière le beau comptoir de la réception, pour « faire aller la castonguette ».

Les employées se mirent à rigoler et entourèrent William de toute leur attention. Les questions fusaient et les rires reprirent de plus belle. Les médecins se joignirent au groupe et on ouvrit une nouvelle bouteille de vin. À 22 heures, Jeanne donna l'exemple en annonçant son départ. On continua de discuter dehors, devant la clinique, encore quelques minutes, puis chacun quitta les lieux pour pouvoir mieux revenir le lendemain.

Le 3 septembre à 9 heures, Jeanne Beaulieu accueillit la première patiente de la clinique Valrose. Une demoiselle — elle insista sur cette appellation — présenta sa carte d'assurance-maladie et Jeanne commença par rayer son nom dans le grand cahier du docteur Crevier, qui allait recevoir sa première patiente. Elle s'appelait Mariette Raby. Elle consultait pour un mal de dos diffus, fit une plainte au sujet du « bien-être social », qui ne voulait plus lui payer une aide ménagère, égratigna un ou deux pharmaciens, accusa son ancien médecin de ne rien connaître, et termina en force par le prix exagéré du bœuf haché à l'épicerie. Jeanne sourit en souhaitant que cette première patiente ne soit pas un échantillon de ce que seraient les autres. Elle invita mademoiselle Raby à s'asseoir dans la salle d'attente, sachant que ce n'était là qu'une simple formalité, le docteur Crevier faisant le pied de grue depuis au moins dix minutes derrière son bureau, le cœur serré. Sa première vraie patiente. Il ouvrit la porte de son cabinet, se rendit à la réception pour cueillir le dossier vierge, passa à la salle d'attente et lança pour la première fois le nom de Mariette Raby. Elle se leva sans efforts, comme si elle recevait un prix de présence, prit son sac sous son aisselle et suivit le docteur Crevier telle une recrue marchant derrière son caporal chef. Le docteur l'invita à s'asseoir devant lui.

Son cabinet comportait un pupitre ordonné, un fauteuil confortable, des tableaux sur les deux murs latéraux, deux chaises droites pour les patients, et une petite pièce sans fenêtre avec une table d'examen, une armoire de fioles diverses, une balance, un évier, quelques affiches présentant des parties du corps humain et un pointeur au laser pour mieux expliquer les couloirs qu'empruntaient les maladies.

Mariette Raby avait soixante-seize ans et elle était asthmatique, cardiaque, arthritique et assistée sociale depuis sa majorité. Malingre et souvent malade — aux prises avec toutes les affections possibles —, elle avait changé de médecin de famille plus de cinq fois. Dès que ce dernier refusait de signer des formulaires lui accordant une ambulance pour aller à Montréal, à cinquante kilomètres, subir ses traitements d'inhalothérapie. Quand elle avait téléphoné à la nouvelle clinique Valrose pour un rendez-vous, mademoiselle Raby se disait que ces jeunes médecins, fraîchement sortis de la Faculté, la verraient avec un œil neuf, sans préjugés et peut-être même avec une certaine sympathie, elle qui n'avait jamais reçu d'attention ni d'affection. Quand la réceptionniste lui avait proposé un rendez-vous quelques jours plus tard, la vieille demoiselle avait accepté, préférant le docteur Crevier à une femme docteure. Elle était certaine que les hommes médecins étaient plus compréhensifs, spécialiste des docteurs qu'elle était plus que n'importe qui.

Mathieu Crevier était un jeune homme mince, les cheveux très noirs et à la moustache en balai de garage pour cacher une lèvre supérieure très charnue. Il avait un caractère vif et un tempérament expéditif. Excellent clinicien, il entretenait une petite crainte de ces patients au tempérament bouillant qui avaient tout lu sur Internet, qui souffraient de maladies imaginaires ou qui mélangeaient tous les effets secondaires. Pire encore, Mathieu avait une aversion pour les patients qui refusaient de prendre des médicaments. Ce matin-là, le jeune médecin ressentait une angoisse qui avait précédé son arrivée à la clinique, même s'il était fier d'en être l'un des propriétaires, ayant suivi ses trois collègues d'université dans ce projet complètement fou. Le gouvernement promettait un médecin de famille pour chaque Québécois tout en augmentant la prise en charge des cas lourds pour assurer aux vieux patients la possibilité de mourir dignement dans leur maison. Mariette Raby ne voulait pas être hospitalisée.

— Mon père est mort dans ce maudit hôpital, docteur. Moi, je ne veux pas y aller. Il paraît que les infirmières sont bêtes.

— Mais qui vous a parlé d'aller à l'hôpital ? demanda le docteur Crevier en auscultant sa patiente.

— Le docteur Massé.

— Il est mort, le docteur Massé. Il ne faut pas vous inquiéter.

— Il m'a dit que mon emphysème est avancé. Pis que j'allais en mourir. Imaginez, docteur, il ne veut pas que je chauffe mon poêle au bois, ni que mon frère fume dans mon appartement. Moi, j'ai travaillé chez Imperial Tobacco de l'âge de quatorze ans jusqu'à l'âge de cinquante ans. J'ai jamais fumé, mais j'en ai fait fumer du monde ! Mon frère fume deux paquets par jour. Mais il vient juste une fois par semaine pour s'occuper de moi. Vous avez un frère, vous, docteur ?

— Non, juste deux sœurs.

— J'aurais aimé avoir une sœur, répliqua la demoiselle avec une infinie tristesse.

Mathieu éprouvait pour Mariette Raby une grande sympathie, mais concevait qu'il devait être difficile pour un vieux médecin de la comprendre.

— Je vais vous faire une ordonnance d'antibiotiques, car vous avez une bronchite. Dans votre condition, il faudra les prendre religieusement si vous ne voulez pas vous ramasser à l'hôpital. Vous prendrez un rendez-vous dans quinze jours, ça va ?

— Merci, docteur Cloutier.

— C'est Crevier.

— Excusez. J'ai pas une mémoire à toute épreuve, vous savez, docteur Crevier.

Elle prit un second rendez-vous auprès de Jeanne Beaulieu, satisfaite de sa consultation auprès du jeune médecin.

Au fil des semaines suivantes, l'équipe allait faire ses premiers apprentissages dans la communauté. Ainsi, il y avait beaucoup de ces furies gâteuses pour lesquelles la salle d'attente de leur médecin avait remplacé le confessionnal, et la clinique médicale Valrose ne faisait pas exception. Peu préparés à ce genre de clientèle, les jeunes docteurs allaient finir par s'accoutumer. Depuis l'ouverture, le personnel avait par ailleurs observé un phénomène assez étrange: une dizaine de personnes étaient venues emprunter les toilettes qui se trouvaient dorénavant sur leur circuit quotidien et les considéraient comme des toilettes publiques. Cela agaçait particulièrement la docteure Mélissa O'Brien, qui s'acharnait à avertir les utilisateurs sans rendez-vous d'aller ailleurs, étayant ses propos par le fait qu'il fallait payer un concierge pour garder les toilettes propres, lesquelles avaient été prévues exclusivement pour la clientèle.

Un jour, Jeanne remarqua une femme qui coupait des boutures sur une des plantes vertes qu'avaient offertes les commerces des alentours en guise de bienvenue à la nouvelle clinique. Elle faillit se lever et la réprimander, mais se rappela que la docteure Lanthier avait exigé un personnel courtois et accueillant. Après tout, les boutures allaient repousser et fournir des rejetons!

Ce 3 septembre, le téléphone sonna sur la ligne privée de la clinique. C'était l'épouse du docteur Crevier qui appelait pour parler à son mari. Mariés depuis trois ans, ils avaient du mal à communiquer. Stéphanie n'arrivait pas à comprendre que son mari n'avait pas le temps de lui téléphoner à toute heure du jour. Ils étaient les parents d'un petit garçon d'un an et demi qui ne supportait pas la garderie. Dès qu'elle le posait sur le tapis et même si elle partait en douce, Hubert se mettait à crier et ses hurlements ne cessaient qu'à 17 heures quand Stéphanie revenait le chercher. Les éducatrices ne savaient plus quoi faire pour lui changer les idées. Sa mère lui manquait.

Stéphanie travaillait au restaurant de son père, *Le Bistro de La Traverse*, où, en plus d'accueillir les clients, elle s'occupait de la comptabilité et de l'embauche des employés. Elle allait donc conduire Hubert à la garderie *Les Petits Bonshommes* et repassait le chercher vers 17 heures. Quand il ne travaillait pas, ce qui était plutôt rare selon l'avis de sa conjointe, c'est son père qui passait chercher son fils vers 16 heures afin de lui accorder plus de temps.

— Mon chéri, ce soir je ne pourrai pas aller chercher Hubert.

— Mais moi non plus ! J'ai un bureau mur à mur. Tu ne peux pas demander à ma mère ?

— Je lui ai déjà demandé trois fois la semaine passée.

— Demande à la tienne, alors. Je ne peux pas annuler les rendez-vous de mes patients. C'est ma première journée, comprends-tu ça ? Je ne peux pas laisser tomber mes patients, Stéphanie. Je ne suis pas vendeur de chaussures, je suis médecin.

— Ne crie pas, Mathieu. J'ai compris.

La communication s'interrompit et le docteur Crevier retourna à ses consultations. Au moment d'appeler son prochain patient, la porte de l'urgence s'ouvrit violemment. Le docteur Raymond sortit et appela à l'aide. Un homme avait emmené Jonathan, son premier jumeau, qui était tombé de sa bicyclette et avait besoin de points de suture au menton. Pendant que le docteur Raymond terminait son anesthésie, Félix, le deuxième jumeau, par solidarité, perdit connaissance. En tombant, sa tête heurta la porte et le cuir chevelu se fendit comme une tomate mûre, d'une oreille à l'autre. Devant le sérieux de la situation, Mathieu Crevier mena l'enfant blessé dans la salle d'urgence numéro deux pour lui-même suturer la plaie.

— Monsieur Lamarre, occupez-vous de Jonathan et moi, je vais m'occuper de Félix, dit-il au père.

Le docteur Crevier anesthésia Félix, qui criait comme un putois. Puis, il entreprit de recoudre le menton de Jonathan en demandant à Jeanne Beaulieu de quitter la réception pour amuser Félix pendant que le médicament agissait. Le docteur Raymond sortit de l'urgence en criant. Le père, lui, s'était senti mal et n'était pas loin du choc vagal. Il s'assit sur la chaise qu'il trouva à côté de la table d'examen et, les yeux révulsés, perdit connaissance. C'est à ce moment-là que le docteur Raymond sonna l'alerte et que tout le personnel présent se rua vers la salle d'urgence. La scène s'inscrivit dans la mémoire collective. Le docteur Raymond tenait un Jonathan bien recousu dans ses bras et, de son autre main, soutenait la tête de Claude Lamarre qui reprenait goût à la vie en se lamentant. La docteure Lanthier se mit à rire avant de proposer de terminer de nettoyer les points de suture de Félix pendant que le docteur Raymond offrait à monsieur Lamarre de s'allonger sur l'autre table d'examen.

Jeanne aurait quelque chose à raconter à ses filles, le soir venu.

Ce même jour, les premiers patients de la clinique médicale Valrose défilèrent de la salle d'attente au cabinet de leur médecin et le docteur Raymond, de garde à l'urgence, vit quarante-trois cas pas assez urgents, selon lui, pour justifier l'appellation *Urgence* d'un petit cagibi à peine plus vaste qu'un placard. Quarante-trois patients en quelques heures au cabinet sans rendez-vous. Des fièvres, des otites, des gastro-entérites, deux accidents, deux malaises cardiaques, un cas de détresse psychologique et quelques curieux qui venaient faire prendre leur tension artérielle à la suggestion de leur cardiologue. Jeanne Beaulieu avait la parfaite conviction d'avoir bien fait son travail et avait très hâte de raconter sa première journée à ses filles avant de recommencer le lendemain.

À 16 heures précises, William vint prendre place à la réception, aussi angoissé qu'un chanteur un soir de première. Il avait justement l'allure d'un chanteur de hip-hop avec son large pantalon de toile, sa chemise mauve entrouverte sur un médaillon représentant le signe *peace* des années soixante, ses lunettes attachées à une cordelette noire, ses cheveux oxygénés, toutes dents dehors offrant un beau sourire éclatant. Les patients, d'abord étonnés, n'allaient pas mettre beaucoup de temps à lui rendre la pareille. William faisait des blagues, mais était capable d'une froideur inqualifiable quand, par exemple, un patient venait à l'urgence pour un bouton d'acné ou pour une attestation de maladie à fournir à son employeur. En l'embauchant, la docteure Lanthier avait exigé que seuls les cas graves et spontanés (elle avait insisté sur ce mot qui excluait les maladies traînant depuis des mois et se réveillant soudainement après une discussion avec une belle-sœur) puissent être soignés à l'urgence.

— C'est pas l'endroit pour ça ! L'urgence est pour les cas urgents. Je vais vous donner un rendez-vous la semaine prochaine avec le docteur Mathieu Crevier ou la docteure Fabienne Lanthier, disait William aux patients audacieux.

— Une femme ? lançaient-ils.

— Oui, elle a réussi ses examens elle aussi, jetait William avec application. Que ce soit un homme ou une femme, votre bouton ne sera pas plus gros, ajoutait-il avant de se mettre à rire.

William était très attachant. Et il était heureux que Valrose soit la première entreprise du genre à avoir embauché un homme comme réceptionniste.

3.

Ce soir-là à 21 heures et des poussières, William ferma les cahiers de rendez-vous et, amorçant abruptement ce qui allait devenir une habitude incontrôlable, compta le nombre d'inscrits pour les semaines à venir : cent treize patients qui semblaient avoir une confiance indestructible en ces quatre jeunes toubibs. À l'urgence, les deux médecins se partageant la garde avaient traité quatre-vingt-une personnes pour différentes affections. Julio racontait que la plus grande qualité de William était de prendre les choses à cœur et soulignait que son amoureux avait l'impression que chaque entreprise pour laquelle il travaillait lui appartenait. Valrose était, en quelques heures, devenue SA clinique. Déjà il parlait de SES docteurs, de SA réception, de SA *business*. Il devenait un chien de garde, un lion, un minotaure pour ces quatre jeunes médecins qui entraient dans une vie professionnelle des plus exigeantes. William avait même expulsé une famille de passants en leur criant avant d'aller leur ouvrir la porte et de leur montrer la sortie :

— Vous n'allez toujours bien pas salir MES toilettes sans avoir au moins un rendez-vous ! Des toilettes publiques, il y en a chez McDonald's, à côté !

Avant de partir chacun vers son domicile, ce premier soir, les membres de l'équipe médicale firent le bilan de cette première journée. Rien ne retroussait. Les médecins discutèrent de certains cas dans un charabia d'universitaires et l'avenir se présentait devant eux comme un présage de réussite. Aucun d'entre eux n'avait de doute : leur nouvelle présence dans le quartier était un bienfait, car il y avait au Québec un criant besoin de professionnels de la santé.

Les journaux locaux firent leurs choux gras de l'ouverture de la clinique médicale Valrose, mais la journaliste Sophie Cotnoir prit soin d'annoncer qu'elle ferait un reportage lors de l'ouverture médiatique qui aurait lieu le 25 octobre et où son journal *L'Envolée* serait parmi les invités.

Le jour 2, la docteure O'Brien confirma qu'un gynécologue allait prendre possession de l'un des trois bureaux laissés libres pour accueillir des spécialistes.

— Je vous le présenterai vendredi, déclara-t-elle.

— Il parle français, j'espère, lança William.

— Oui, mais il ne parle pas l'anglais, cependant. Il est attaché au CHUM, mais il va venir faire des consultations trois jours par semaine. Il est excellent. Vous prévoyez un cahier de rendez-vous et vous donnez des rendez-vous aux demi-heures. Il s'appelle Ayoub Rached.

Les autres ouvrirent de grands yeux étonnés.

— Ayoub quoi ? lança William, ce qui fit rire Jeanne et le docteur Crevier.

— C'est un excellent spécialiste et je crois que les femmes de la région en ont beaucoup à apprendre sur leur appareil génital, intervint Fabienne Lanthier.

— Ce matin, y'a une femme qui m'a dit qu'elle avait mal dans l'*ouvalum*. Je l'ai questionnée. Elle m'a dit que c'est comme ça que sa mère appelait son vagin : l'où va l'homme. Imaginez toutes ces vieilles personnes à qui on n'a jamais enseigné le nom des choses. On a de l'éducation à faire et nous sommes au XXIe siècle ! conclut Mathieu Crevier.

Quand William rentra chez lui, Julio l'attendait avec un confit de canard à la tomate et une bouteille de vin rouge. William lui raconta comment s'était déroulée la soirée à SA clinique et mentionna l'extrême gentillesse du docteur Benoît Raymond dont il ignorait tout de la vie personnelle.

Julio demeura silencieux. L'admiration de William pour ce jeune docteur venait titiller sa fibre de propriétaire. William lui appartenait et la jalousie le tenaillait. Depuis que son amoureux avait commencé ce nouveau travail, Julio s'emmêlait dans ses sentiments, louvoyant entre l'assurance de la fidélité et les soupçons de trahison. Julio était né à Valparaiso et avait quitté le Chili en pleins tourments politiques, pour venir dans ce Québec qui maternait ses immigrants de l'Amérique du Sud. Il avait aussitôt trouvé un emploi dans un restaurant chilien de la région grâce aux enseignements culinaires de sa mère, et était tombé amoureux de ce client célibataire qui le faisait rire et qui partageait ses idées. Ils étaient ensemble depuis plusieurs années.

— Je suis content, Willie. Je vais pouvoir être soigné facilement. Plus jamais de douze heures à attendre assis sur une chaise de métal dans une salle remplie de bronchitiques avant d'être examiné ! Mais ne t'avise pas de faire de l'œil à ce jeune médecin. A-t-il des belles fesses, au moins ? s'enquit Julio avec des vibratos au fond de la gorge.

— Il n'est pas gai, t'as pas besoin d'avoir peur. Comme si tous les hommes aux belles fesses étaient intéressés à moi. Maudite moumoune, va ! répliqua William en posant les lèvres sur son verre de Gato Negro, un vin un peu âcre qu'il offrit à son amoureux chilien.

— Tu as eu du plaisir, au moins ?

— Comme on peut avoir du plaisir avec des patients qui feraient tout pour qu'un médecin les voie et les soulage. Un public captif. Je peux faire et dire tout ce que je veux. Après que mon accoutrement a fini de les surprendre et quand ils ont compris de quel bois je me chauffe, conclut-il en posant un baiser sur le front de Julio.

Ils plongèrent dans leur cuisse de canard du Lac Brome en se promettant une fidélité à toute épreuve et de belles vacances d'été à Valparaiso.

Dès le soir du 3 septembre, Jeanne appela sa fille Lison. Elle tenait à lui raconter sa première journée à la clinique Valrose. Lison était en pleine campagne de promotion des centres commerciaux Cadillac Fairview. Une grosse campagne qui mettait la cliente BCBG au centre de ses préoccupations d'automne. Lison proposait que la femme idéale ne soit pas un mannequin trop maigre, mais une mère de famille au début de la trentaine, pas trop maquillée, la chevelure indisciplinée ; elle proposait, à cet effet, un concours de popularité parmi une vingtaine de jeunes clientes qui avaient posé leur candidature. Dix mille dollars à dépenser dans l'un des centres commerciaux appartenant à son bon client. Une grosse affaire. Jeanne ne lui avait pas parlé depuis quinze jours, pas plus qu'à ses autres filles.

Cette fois, une petite voix délicate se fit entendre à l'autre bout du fil.

— Mais qu'est-ce qui se passe, ma Lison ? glissa Jeanne.

— Je suis pas bien, maman. J'ai mal dans le bas du dos, je peux pas travailler. J'ai pris des Tylenol, mais ça ne se passe pas.

— Viens demain matin à la clinique. Tu verras la docteure O'Brien. Je suis certaine que si je le lui demande, elle te recevra la première. Quand je vais arriver demain, je vais inscrire ton nom tout de suite. Si ça empire cette nuit, j'irai te conduire à l'hôpital, d'accord ?

— M'man, je ne peux pas attendre à demain matin.

— Je vais appeler chez le docteur Raymond. Ils m'ont laissé tous leurs numéros de téléphone. T'en fais pas, ma chouette. Je vais voir ce qu'il va me dire. S'il le faut, j'irai te chercher pour aller à l'hôpital.

Le docteur Raymond conseilla effectivement à Jeanne de conduire sa fille à l'hôpital et de donner son nom comme médecin traitant lorsqu'on le lui demanderait. Ainsi, il pourrait recevoir les notes consignées au dossier de Lison. Il promit d'appeler à la salle d'urgence pour attester qu'il envoyait une cliente souffrante. Benoît Raymond soupçonnait une entorse lombaire ou une pierre au rein.

Dès leur arrivée à la réception de l'urgence, la dame à l'accueil dirigea Lison à la salle numéro six, court-circuitant la marche habituelle d'une foule malade, mais donnant ainsi à Jeanne Beaulieu, elle-même réceptionniste à la nouvelle clinique du quartier, une place prioritaire. « C'est de même partout », se dit-elle comme pour faire taire ses appréhensions.

Un médecin dans la cinquantaine examina Lison et, après lui avoir administré un calmant par voie musculaire, diagnostiqua une pierre qui bloquait son rein.

— Vous allez pouvoir dormir. On va vous installer un soluté salin et quand vous aurez envie d'uriner, vous allez filtrer votre urine dans cet entonnoir. Je ne serais pas surpris que vous voyiez apparaître un petit caillou sur le filtre. Alors, la douleur cessera et vous reprendrez le cours de votre vie. Si la pierre bloque votre urètre, on vous installera ce qu'on appelle un double J qui permettra à votre rein de laisser la voie libre pour un certain temps ! Je vais vous envoyer l'urologue qui est de garde, le docteur Saint-Laurent. C'est le meilleur.

Le médecin pressa la main de Lison qui se lamentait comme une femme qui allait accoucher, sourit à Jeanne, puis disparut. Le médicament fit effet assez rapidement. Lison s'endormit, donnant le loisir à Jeanne d'aller à la cafétéria pour y manger quelque chose. Elle eut assez de temps pour réfléchir à la chance qu'elle avait de pouvoir compter sur ses filles qui, de leur côté, pouvaient elles aussi se fier à leur mère pour les aider. «Donner la vie, c'est pour la vie», disait toujours Jeanne. Elle se rendit compte que du fait que Lison était devenue une adulte, son inquiétude à elle était contrôlable. Pas de borborygmes dans l'estomac, pas non plus de ces serres qui pressent les tempes, pas d'interruption du sommeil. Quand ses filles étaient petites, aucune méthode ne pouvait calmer leur mère tant elle était angoissée.

Jeanne remonta à la salle numéro six. Lison dormait encore. Tout à côté, près du lit parallèle au sien, se tenaient les deux enfants d'une dame âgée qui pleurait doucement en haletant entre chaque sanglot. D'après ce que comprenait Jeanne, l'oncologue avait informé la dame que son cancer était revenu, plus fulgurant que la première fois. Sa fille lui disait:

— Maman, toi, tu es chanceuse. Tu n'as pas trop mal. Tu as vu la voisine, comme elle souffre. L'as-tu entendue? Elle a tellement l'air de souffrir.

Jeanne réprima une envie de rire, même si ce n'était pas drôle pour cette pauvre vieille. Elle savait qu'aussitôt la pierre expulsée, sa Lison serait aussi fraîche qu'une rose et pourrait reprendre son travail.

Lison s'éveilla et demanda d'aller aux toilettes. Elle n'avait plus mal. Elle en ressortit, triomphante, tenant son petit entonnoir au fond duquel Jeanne put apercevoir une menue pierre rougeâtre, grosse comme un grain de riz. Jamais une aussi petite pierre ne reçut autant d'éloges! Lison disait: «Merci, oh, merci!» Elle respira un grand coup puis se rhabilla. L'infirmière qui s'était occupée de la jeune femme montrait la pierre à ses collègues. «Elle est grosse, dis donc!» «Quand ça bloque, ça bloque!» commenta une autre.

— Maman, je ne pouvais pas imaginer qu'on puisse autant souffrir! J'étais persuadée que j'allais rendre l'âme.

— À la place, tu as rendu un petit caillou rose! répliqua Jeanne en riant. Tu viens?

Lison se dirigea vers la salle sept pour offrir son amitié à la vieille dame dont le cancer avait récidivé et lui souhaiter toute la chance du monde. Elle entendit le fils chuchoter:

— C'est la fille qui se plaignait tantôt. Elle est sur pied comme par miracle. Tu vois, maman. Ça se peut que tu guérisses. Les médecins ici font des miracles, je te le dis.

Jeanne alla reconduire Lison, puis retourna se coucher. La nuit serait courte. Le travail l'attendait le lendemain. Mais quelle joie elle ressentait! Jeanne avait l'impression de revivre. Toutes ces responsabilités lui procuraient une puissance insoupçonnée, un sentiment d'indispensabilité jamais éprouvé. Elle était l'ouvrière qui apportait la nourriture à sa reine. Sans elle, les médecins seraient perdus. Quand elle travaillait comme caissière-à-tout-faire chez Laguë et Fils, elle était la domestique qui servait cette famille d'épiciers, courbant l'échine devant Ben Laguë, le fils aîné, le pire despote qu'elle ait connu. Avec les médecins de Valrose, ses patrons bien-aimés, Jeanne se sentait la personne la plus utile du monde.

Elle s'endormit, la tête dans les vapeurs d'une aube d'automne.

4.

Bien sûr que Jeanne savait que le ciel n'est pas toujours bleu.

Le 25 octobre, jour de l'ouverture médiatique de la clinique Valrose, tous les collègues s'affairaient à la préparation des lieux. Un vaste local, pas encore loué, allait servir de salle de réception. Au moment d'ouvrir la clinique, Jeanne constata avec effroi que toutes les plantes exotiques que leur avaient offertes les compagnies pharmaceutiques et les autres partenaires avaient disparu et qu'il faudrait les remplacer. Bizarrement, les patients volaient donc les plantes et les rouleaux de papier hygiénique, comme certains clients pouvaient subtiliser les petits pots de crème, les sachets de sucre et même les ustensiles dans les restaurants familiaux. Jeanne soupira : les humains la surprendraient toujours. Chez Lagüe et Fils, combien de sacs de plastique et d'attaches étaient la proie des kleptomanes de tous âges. Combien de mères donnaient à leurs enfants des fruits sans les payer, pour les faire patienter ! Elle émit un petit rire en se rendant à la salle de réunion.

En passant devant le bureau de l'urgence, elle surprit une conversation musclée entre les docteurs Raymond et Lanthier. Jeanne fit mine de placer des dossiers sur le pupitre qui servait au médecin du sans-rendez-vous pour entendre de quoi ou de qui il s'agissait.

— Arrête, Fabienne! Quand tu l'as rencontré, il t'a dit qu'il était un rescapé de la toxicomanie. Il t'a dit qu'il aimait le public, mais on aurait dû s'attendre à des patients qui n'accepteraient pas d'être reçus par... par... un...

— Dis-le! Par une tapette! Il fait très bien son travail. Il est gentil, poli et il en connaît pas mal au sujet des maladies et...

— Justement! Il joue au docteur et c'est ce que Mme Martin a évoqué. Elle n'a pas parlé de son homosexualité. Elle a parlé de son exhibitionnisme, de son côté exalté, de sa manie de poser un diagnostic avant que le patient ait vu le médecin. Mme Martin lui a dit qu'elle consultait à l'urgence pour des lésions sur l'avant-bras. William lui a tout de suite raconté que sa grand-tante avait la même chose et qu'elle est morte d'un cancer de la peau l'année d'après.

— Qu'est-ce que tu lui reproches au juste, Benoît? Qu'il exhibe sa gaieté ou qu'il ne se mêle pas de ses affaires? Des fois, on change le motif de nos préjugés pour ne pas avoir l'air de tomber dans l'homophobie.

— Je lui reproche de poser des diagnostics, de se substituer à nous, de s'imaginer que Valrose est une espèce de royaume dont il serait le… la reine incontestée. Il faudrait qu'il soit un peu plus réservé, tu comprends ? Qu'il n'affiche pas ce qu'il est par des cheveux de couleur douteuse. Qu'il porte des vêtements de gars ordinaire, qu'il cesse ses zozotements stupides. On dirait une caricature qui serait le chum d'Esculape ! Il m'énerve !

— On ne met pas quelqu'un dehors pour une seule critique ni pour des motifs aussi arriérés que la normalité sexuelle, Benoît. Mme Martin est la seule qui s'est plainte. Les autres patients qui ont eu affaire à William l'ont beaucoup aimé. Mme Martin doit avoir des problèmes avec les personnes différentes. Alors, Benoît Raymond, que je te voie faire tout un plat avec ça ! La prochaine fois, tu te chargeras d'embaucher les employés. Moi, j'ai agi selon ma conscience et William Frenette fait partie des délicieuses exceptions qui rendent la vie plus amusante.

— Ah, ah ! Donc, tu avoues que William est un amusement !

— Aussi ! lança Fabienne Lanthier.

— Il est aussi un amusement pour la clientèle. Et je te l'accorde, William est gentil, amusant, affable. Mais il n'a pas le droit de parler de leurs maladies avec les patients. Tu lui diras de ma part qu'il se contente de

44

sourire et de remplir le dossier sans autres commentaires. Ça va comme ça, Fabienne ?

— D'accord. Je vais lui parler.

— Le travail de réceptionniste à la clinique doit être neutre. William affiche plein de signes ostentatoires. *Je suis homosexuel et je veux que vous le sachiez...*

— Benoît, ne commence pas la chicane ! On a autres choses à faire, tu ne crois pas ?

— Bien oui. T'as pas changé, toi, au moins.

& & &

Une soirée inoubliable ! Jeanne se trouvait responsable de la régie de cette fête d'ouverture, recevant le buffet, procédant avec William à l'installation des tables, verres, assiettes, ustensiles, serviettes. Le docteur Raymond recevait les invités avec tout le faste qui leur était dévolu selon le rôle qu'ils occupaient. La députée se faisait attendre mais, dans le babil des conversations, les rires qui fusaient comme des feux d'artifice, les accolades et les poignées de main, personne ne s'en inquiéta sauf l'animateur de la soirée, qui répétait mentalement son discours commençant par *Madame la députée, Armande Daoust...*

À 18 heures, tout le monde était arrivé et le docteur Raymond invita la députée puis le maire à prononcer quelques mots, ce qu'ils firent en insistant tous les deux hypocritement sur l'apport d'une nouvelle clinique médicale dans leur propre fief, pour une population de plus en plus vieillissante et, avec l'aide d'Internet, de plus en plus informée sur la santé.

Les employés de la clinique apprenaient à mieux connaître leurs patrons en les observant dans un contexte différent de celui de leur travail : les rires abondants de la docteure Lanthier, la quasi-froideur du docteur Raymond, l'entrain communicatif du docteur Crevier et la timidité tranquille de la docteure O'Brien. Quant au gynécologue, il n'avait pas pu assister à la fête, étant de garde au département d'obstétrique du CHUM.

La clinique Valrose venait d'entrer officiellement dans la mémoire collective pour y rester.

5.

Fabienne Lanthier avait hâte à Noël. Après avoir été admise en médecine, un rêve de jeunesse, elle avait toujours cessé d'étudier pendant le temps des fêtes pour plutôt se consacrer à cette heureuse période. L'ouverture de la clinique Valrose n'était pas prévue dans son plan de carrière. Sa meilleure amie, Mélissa O'Brien, l'avait convaincue que les filles étaient immanquablement tenues à l'écart des décisions administratives et qu'elles devaient s'imposer toutes les deux dans cette clinique. Le nom de Valrose avait d'ailleurs été une idée de Fabienne.

Richard Lanthier avait avancé une mise de fonds pour que sa fille participe à la construction de cette clinique et souhaitait qu'elle se contente d'être une clinique privée, se tenant loin de l'assurance-santé.

— Quand les gens paient, ils se sentent plus responsables de leur santé. À part ça, vous pouvez charger plus cher que le petit vingt piastres de la Régie.

— Papa, je ne crois pas aux cliniques privées, moi. Je pense que tout le monde a le droit d'être soigné quand il en a besoin et gratuitement.

— Le privé soulage le système public, tu le sais. Tu vois, j'étais comptable au gouvernement quand tu étais petite, et un jour, j'ai décidé d'ouvrir mon propre bureau. Et j'ai pu...

— ... Tu as pu t'acheter une Mustang de l'année, s'était-elle moquée. Moi, je veux être associée à la RAMQ. Et travailler en équipe. Ça me rassure, moi, de pouvoir consulter mes collègues. La santé des patients, c'est important, papa. Et être quatre ou cinq médecins dans la même clinique, c'est rassurant.

— Fais comme tu veux, ma fille, mais ne viens pas te plaindre après.

Les quatre compagnons d'université avaient étudié pendant six ans ensemble, se côtoyant chaque jour, traversant les traités d'anatomie, de pharmacologie et de psychologie tout en fréquentant les hôpitaux universitaires où les patrons, loin des livres et des cours didactiques, enseignaient la vraie vie à leurs étudiants en les plongeant dans la réalité. En fait, dans les hôpitaux, les patients étaient vraiment malades et les approches thérapeutiques représentaient l'application concrète des moyens mis en œuvre pour assurer la guérison. Après avoir rigoureusement appris quelques notions dans les bouquins, les étudiants appliquaient les méthodes que leur enseignaient les médecins plus expérimentés. Toutes les ressources informatiques étaient alors à leur disposition. Ils assistaient à des opérations chirurgicales en trois dimensions, suivant les étapes proposées par les spécialistes. Finies les heures passées le nez dans les livres à mémoriser des notions vagues qu'ils ne comprenaient que lorsqu'ils se retrouvaient face à des malades. La médecine du XXIe siècle se trouvait à des lieues des enseignements de Leonardo da Vinci et des écoles de médecine, et les énormes volumes, pour la plupart en anglais, avaient été quasiment relégués aux oubliettes. Étudier la médecine avait été une période exaltante pour les docteurs Lanthier, Raymond, Crevier et O'Brien, et l'ouverture de leur clinique, en collaboration avec un jeune pharmacien pour les officines, était la réalisation d'un rêve immense pour de jeunes ambitieux. La mode était aux polycliniques qui offraient des consultations auprès des principaux spécialistes en gynécologie et obstétrique, en dermatologie, en ORL, et même en psychologie. À Valrose, mis à part le nouveau gynécologue, il manquait encore deux médecins de famille pour assurer une véritable prise en charge de tous les patients de la région. La docteure Fabienne Lanthier avait été choisie pour s'occuper du recrutement.

Chaque matin, elle se rendait à Valrose en chantonnant. Son père lui avait offert une petite voiture pour ses déplacements quand elle avait obtenu son diplôme. Ses parents s'étaient séparés quand elle avait six ans, mais son père s'occupait d'elle tandis que l'ex Mme Lanthier, redevenue Comtois, bourlinguait en Nouvelle-Angleterre.

Lors de la construction de la clinique, Fabienne passait des heures entre deux gardes à l'urgence de l'hôpital Sainte-Marie, à hanter le chantier. Elle discutait avec les ouvriers, posait des questions sur la qualité du béton ou sur les matériaux utilisés, comme si elle regardait s'ériger sa propre maison. Le directeur du chantier, Yves Lauzon, avait l'impression d'y rencontrer une jeune fille qui se dirigeait vers l'architecture. Il avait en fait devant lui une vraie médecin en attente de s'installer dans son cabinet percé de fenêtres pour laisser entrer le soleil. Il lui avait demandé son nom. Il n'avait retenu que son prénom. L'assiduité de la jeune fille était devenue une blague circulant parmi les ouvriers : est-ce que Fabienne allait apprécier ?

C'est elle qui avait embauché les membres du personnel et qui avait été en quelque sorte le maître d'œuvre de Valrose et tant qu'elle était là, ses collègues étaient rassurés.

La docteure Lanthier n'avait pas d'amoureux et n'en avait eu qu'un seul alors qu'elle promenait son sourire édenté dans une salopette Osh Kosh vert émeraude au parc de son village. Pas un étudiant du secondaire, ni du cégep, encore moins de médecine ne l'avait repérée parmi les filles studieuses et sérieuses qui, au lieu d'aller s'offrir une bière à la brasserie, choisissaient de se perdre dans leurs livres d'anatomie. Mathieu Crevier avait eu pour Fabienne quelques attentions, préférant étudier ses notes de cours avec elle plutôt que de les apprendre tout seul. C'était une fille très intelligente, mais Mathieu s'était vite détaché d'elle pour aller vers Stéphanie Latraverse, avec laquelle il avait décidé de bâtir une famille.

Fabienne adorait son rôle de thérapeute plus que tout au monde et se sentait très à l'aise dans celui de la gestion de Valrose.

C'est elle qui avait trouvé le pharmacien N'Guyen pour acheter le grand local demeuré libre à l'est de Valrose et y installer, en plus des officines, une sorte de magasin général qui offrait des médicaments tout aussi bien que des couches pour bébés, des boîtes de chocolat et des boissons énergisantes. Le pharmacien Danh N'Guyen avait réalisé un rêve. À trente-six ans, il avait démissionné de son poste à la pharmacie Jean Coutu et s'était lancé dans le plus beau projet qu'il eût jamais imaginé : sa pharmacie dans une nouvelle clinique où il pourrait compter sur une clientèle captive.

Fabienne avait l'ambition d'une femme d'affaires. Et de fait, il y avait un besoin pressant de trouver un ou même deux autres médecins pour les soulager, elle et ses trois collègues, devant l'énorme tâche que représentait le suivi d'une aussi grosse clientèle. La population adulte n'avait pas été habituée à prévenir la maladie. Ainsi, les docteurs Lanthier, Raymond, Crevier et O'Brien avaient le lourd mandat d'éduquer leurs patients.

— On a besoin d'une diététicienne, avait annoncé Fabienne à ses collègues lors de leur réunion administrative. Il faut informer nos patients.

— C'est vrai, ça, intervint Mathieu Crevier. Les femmes enceintes n'ont aucune notion de la bonne alimentation. J'en ai trois qui fument malgré toutes les publicités.

— Et avez-vous remarqué le nombre effarant d'obèses parmi la clientèle ? ajouta Benoît Raymond.

— Les enfants, surtout. Pas de farce, j'ai vu quatre enfants qui pesaient 50 % de plus que leur poids normal. Oui, je suis d'accord pour une diététicienne. C'est presque toujours des femmes, d'ailleurs, dit Mélissa O'Brien en riant.

— Je m'en occupe, conclut Fabienne. Je vais regarder les demandes d'embauche que j'ai reçues. Pour ce qui est de trouver deux nouveaux omnipraticiens, si vous avez des idées, ne vous gênez pas. Nos rendez-vous sont rendus à un mois et demi. Toi, Benoît, c'est trois mois avant d'avoir un rendez-vous. Faut agir pendant que c'est le temps.

Le temps passa très vite et s'arrêta au printemps. Le bâtiment avait subi quelques dégradations au niveau du béton, en raison du froid intense de cet hiver-là. Deux étonnantes fissures s'étaient formées dans le mur arrière de la clinique. C'est Toni, l'homme de ménage, qui s'en était aperçu : une grande quantité d'eau s'était infiltrée au bas de la fenêtre de la salle d'urgence. Mathieu Crevier appela le constructeur, qui refusa de se tenir responsable, accusant la compagnie de béton, le fabricant de fenêtres, l'entreprise de maçonnerie. Le docteur Crevier dut se résoudre à contacter un spécialiste des réparations de murs lézardés qui, après évaluation des travaux, parla de dix mille dollars.

— Quand il s'agit de médecins, ils chargent toujours plus cher, lança Jeanne Beaulieu, qui avait l'expérience de ce genre d'affaires. Vous devez avoir un patient qui peut réparer ces craques-là. Je peux fouiller dans les dossiers, si vous voulez.

— Faites ça, ma belle Jeanne, dit le docteur Raymond.

Jeanne trouva un certain Marco Svettini qui avait déclaré être un maçon d'expérience. Elle lui téléphona et il vint examiner les dommages dont il évalua les réparations à quatre mille dollars. Jeanne avait épargné à « ses docteurs » une dépense excessive, selon elle.

& & &

Un homme, âgé d'environ quarante ans se présenta à la réception et demanda de rencontrer le médecin en charge du personnel. Jeanne lui demanda de patienter parce que la docteure Fabienne Lanthier était en consultation pour encore quelques minutes. L'homme était bronzé, et ses cheveux poivre et sel étaient ondulés. Il devait s'astreindre à de l'exercice physique, car il n'avait pas une once de graisse. Il portait des jeans griffés et des Clark's. Jeanne l'observait. Elle songea qu'elle aurait sûrement quelques affinités avec ce beau gars. Il regardait au plafond, touchait le faux-cuir des bancs de la salle d'attente, frottait ses semelles sur le tapis. Cet homme semblait s'intéresser à la clinique pour prêter ainsi attention à des détails qui, habituellement, ne préoccupaient pas la clientèle.

— Et votre nom ? Peut-être que je peux téléphoner à la docteure Lanthier. Si elle sait que vous l'attendez…

— Pierre-André Caron. Je suis médecin moi aussi. Je peux revenir si elle est trop occupée. Je ne me suis même pas annoncé, dit l'homme.

Sans même répondre, Jeanne appela la docteure Lanthier puis, au bout de deux minutes, la porte de son cabinet s'ouvrit. Le docteur Caron se leva d'un bond alors qu'il venait à peine de s'asseoir.

— Bonjour, docteur Lanthier. Très jolie clinique, pleine de soleil. Je peux vous voir quelques minutes ?

Fabienne fit entrer le docteur Caron avec une timidité que ne lui connaissait pas Jeanne.

— Je peux m'asseoir ?

— Bien sûr. J'ai une dizaine de minutes avant le prochain rendez-vous, laissa-t-elle tomber.

— Ce ne sera pas long. J'arrive d'Haïti où j'ai passé les deux dernières années.

— Médecin sans frontières ?

— Oui, sans frontières. Je suis un médecin libre et fait pour aider les pauvres gens. J'ai perdu ma pratique ici en 2007 pour avoir laissé s'établir entre une patiente enceinte et moi une relation amicale. J'ai eu affaire au Collège, mais j'ai été gracié. J'aurais pu poursuivre dans la même clinique, mais j'étais en instance de divorce en plus, et le CLSC ne me tentait pas. Je suis parti juste après le séisme en Haïti. J'étais stationné à Jacmel. Puis, j'ai compris que je pouvais soigner les blessures physiques, mais que je ne pourrais jamais guérir les gens de la peur et du désespoir ni changer la situation de leur pauvre pays. Vous savez, Fabienne, qu'il existe des cultures de l'impuissance et du découragement qui sont bien plus graves que la malaria. Il y a aussi le fait de voir des milliers de gens arriver chez vous et vouloir changer la mentalité du pays, sans compter tous ces éléments de comparaison que les Haïtiens établissent et qui leur font haïr leur condition, le saviez-vous ?

— Je vous crois, docteur Caron.

— Et c'est ainsi chaque fois que les Occidentaux décident d'intervenir dans les pays en voie de développement. Ils veulent changer les mœurs et font parfois plus de mal que de bien. Alors, je suis revenu. Imaginez, à mon âge, j'habite chez mes parents.

Il se mit à rire, dévoilant une dentition parfaite et des yeux si bleus que Fabienne Lanthier éprouva pour Pierre-André Caron une sympathie immédiate.

— Je cherche un endroit où pratiquer. Je suis en médecine générale avec une spécialité en chirurgie mineure. Mais dans les Antilles, je faisais aussi des accouchements, de la prise en charge et de la diététique. Tout, quoi! J'ai vu que vous veniez d'ouvrir Valrose et j'ai eu le goût de me joindre à des jeunes. Moi, j'ai quarante-deux ans. Je suis célibataire, sans enfants, donc pas trop d'empêchements à faire des gardes. Je suis habitué aux cas urgents, mais je ne ferai pas d'obstétrique. On m'a retiré ce… ce privilège. Il y a tant à faire après avoir mis les enfants au monde, pas vrai?

— Écoutez, je suis encore sous le choc. Ce matin même, mes collègues et moi, nous avons discuté du besoin urgent de nous adjoindre un nouveau médecin de famille. Et vous voilà!

— Oui, me voilà!

— Quand pouvez-vous commencer?

— Dès lundi.

— Je vais demander à la réceptionniste de vous faire visiter l'un des trois locaux prévus pour les prochains médecins généralistes. Vous choisirez. Mais j'aimerais que vous reveniez ce soir, après 21 heures, pour rencontrer mes collègues. Je ne peux pas prendre de décision sans l'accord des autres. Ce soir, je vous informerai des frais mensuels. Le local n'est pas meublé, sauf le tapis, les stores, le sphygmomanomètre, les lampes, la table d'examen, l'appareil oculaire électronique, et les armoires remplies de tout le matériel nécessaire. Le reste, il faut le fournir. Bureau, fauteuil, chaises et armoires. Vous croyez avoir le temps d'ici lundi ?

— J'ai tout conservé dans le sous-sol chez mes vieux. Je reviens ce soir pour 21 heures et si je plais à vos collègues et si je vous plais à vous, Fabienne, je déménagerai mes choses samedi. Lundi, tout sera prêt. Juste le temps que votre gentille réceptionniste m'inscrive quelques patients orphelins pour commencer. Qu'en pensez-vous, docteure Lanthier ?

— Ah... moi, ça me va, répliqua-t-elle aussitôt.

Elle réfléchit. « Et si je vous plais à vous, Fabienne. » Cette phrase la hantait pendant qu'elle appelait son prochain patient. Le docteur Caron lui avait fait de l'effet. Elle eut l'impression qu'un sentiment indéfinissable venait de s'installer entre eux. Célibataire, sans enfants, libre, tous ces mots s'entremêlaient dans la tête de Fabienne. Elle se sentit bien.

Monsieur Simard était déprimé. Très. Il avait vu trois médecins et une psychothérapeute qui usait de la poudre de perlimpinpin. Il avait toujours été un travailleur de l'automobile et ne s'était jamais remis de la fermeture de la General Motors, où il était entré travailler auprès de son père à l'âge de seize ans. Avec une retraite un peu trop rapide à son goût, il n'avait jamais retrouvé sa joie de vivre et croyait être devenu un poids pour la société. Aucun loisir, aucune passion. Avant, la seule passion qui semblait être importante pour lui était de se payer « un p'tit coup de reins » dans l'après-midi, quand il pouvait attraper Ghislaine sur un fauteuil ou dans un lit et la soumettre. Or, la chose lui devenait de plus en plus difficile à exécuter. De plus, Ghislaine n'avait plus le désir de ses trente ans et ne pouvait plus supporter de voir son mari vingt-quatre heures par jour.

Monsieur Simard souriait en racontant ses tourments à cette jeune doctoresse qui n'avait probablement aucune expérience de la vie sexuelle des vieux couples. Il n'avait pas tort : les cours de sexologie, mis à part ceux donnés par l'urologue de l'hôpital Saint-Luc et la sexologue de Notre-Dame, n'avaient pas appris grand-chose à Fabienne, surtout qu'elle n'avait jamais eu de cours pratiques. La sexualité des couples différait de l'un à l'autre. Elle avait le goût de suggérer à son patient désarmé de regarder des films pornographiques et de se caresser. Là, au moins, il saurait satisfaire son envie de jouir au moment où il le jugerait indispensable. La masturbation était un mot que l'on ne prononçait pas chez les Lanthier, où on lui préférait des gestes grivois et réducteurs. La franchise, l'ouverture d'esprit n'étaient pas dans les coutumes de sa famille. On nommait le pénis de mille manières sans jamais prononcer ses cinq lettres. Et comme Fabienne n'avait aucune expérience sexuelle digne de ce nom, elle se demandait comment diable aider le patient qui se lamentait devant elle. Un frisson lui traversa l'échine pendant qu'elle pensait au beau docteur Pierre-André Caron.

— Avez-vous rencontré un sexologue, monsieur Simard?

— Je n'ai pas confiance en ces merlins!

— Avez-vous subi un bon examen physique dernièrement? Un examen de la prostate pourrait s'avérer révélateur de votre condition. Arrivez-vous à... êtes-vous capable d'une érection quand vous êtes avec Ghislaine?

— Elle ne veut plus que je me colle contre elle.

Fabienne ne comprenait pas que, même à un âge avancé, les hommes n'acceptaient pas de mettre leur ambition sur la glace.

— On va vous faire un bon examen et je vais vous envoyer passer des analyses sanguines à l'hôpital. On va être fixés, monsieur Simard, dit-elle en posant la main sur le bras de son patient.

— Un examen… euh… un doigt dans le… ?

— Monsieur Simard, en ce moment, il n'y a qu'un bon examen rectal pour évaluer la grosseur de votre prostate. Je sais que ce n'est pas agréable, mais c'est nécessaire. Pensez-vous que c'est plus agréable pour une femme d'être examinée par un gynécologue ? Pourtant, on est toutes passées par là. C'est pour sauver votre vie, peut-être.

— Un médecin mâle, je dis pas. Mais une femme…

— Aimeriez-vous mieux aller voir un de mes confrères ?

— Un doigt, c'est un doigt, après tout. D'abord qu'on voit pas la face qu'il y a à l'autre bout…

— Je peux demander au docteur Crevier ou au docteur Raymond de vous voir.

— Ouais. Prenez ma pression, pis écoutez mon cœur et pour la pogne… passe…

— La prostate.

— Pour la prostate, on va s'arranger entre gars.

Fabienne réprima une envie de rire en cochant le formulaire de l'hématologie de l'hôpital pour les examens sanguins. Elle se leva et invita son patient à s'asseoir sur la table d'examen. Il retira sa chemise. Il portait une camisole blanche et un petit carré de camphre dans un petit sac. Il rit et dit :

— C'est ma mère qui m'a toujours fait porter ça contre le rhume. J'en porte encore un.

Il se mit à pleurer comme une fillette qui se serait éraflé le genou.

— Aimeriez-vous prendre des médicaments pour aider votre dépression ?

— C'est pas moi qui décide ça.

— De nos jours, les médecins demandent à leurs patients avant de leur prescrire un psychotrope… euh… une pilule pour les nerfs, dit-elle pour parler le langage de monsieur Simard.

— C'est correct. Faites-moi une prescription, docteure. Est-ce que ça va me faire du bien ? Je vas-tu… euh…

— Vous banderez pas plus, mais vous allez vous en ficher comme de l'an quarante ! C'est ça qu'on veut, non ?

Monsieur Simard sortit du cabinet de la docteure Lanthier avec son ordonnance de Prozac, son rendez-vous avec le docteur Raymond et son premier fou rire depuis des mois. Il jugea dès lors que les femmes avaient leur place en médecine, sauf pour examiner les prostates.

6.

Fabienne Lanthier était heureuse de présenter le docteur Pierre-André Caron à ses collègues et au pharmacien N'Guyen, en ayant pris soin de leur spécifier que le nouveau docteur était prêt à emménager le lundi suivant. Ils posèrent des questions, certaines pertinentes, d'autres moins. Mélissa O'Brien désirait absolument connaître les raisons pour lesquelles le docteur Caron avait fui le pays après l'affaire qui l'avait mené devant le Collège des médecins. Elle ne voulait surtout pas d'un vieux routier qui ne tiendrait pas compte de l'ordre établi consistant à travailler en étroite collaboration avec le pharmacien. Benoît Raymond, quant à lui, insistait pour que son collègue potentiel puisse partager ses cas avec les autres et qu'il accepte de pratiquer une médecine de groupe, ce qui différait de la pratique en solo.

— Vous devez vous attendre à ce que nous... que je vous demande des conseils de temps à autre, trancha Fabienne, qui ne voulait pas que ses collègues mettent le docteur Caron dans l'embarras.

Le pharmacien, pour sa part, désirait collaborer et, à mots couverts, indiqua au docteur Caron qu'il devait tenir compte des avis laissés par lui ou sa pharmacienne adjointe au sujet de la médication de ses patients. Et surtout — N'Guyen ne parlait pas la langue de bois —, il devait inciter ses patients à faire délivrer leurs ordonnances à la pharmacie de Valrose et pas ailleurs. Le docteur Crevier, de son côté, n'éprouvait aucune crainte. Pierre-André Caron lui semblait très compétent et prêt à toutes les collaborations.

— Vous aurez une garde par semaine au sans-rendez-vous et un week-end toutes les cinq semaines. Une partie du salaire va à la clinique d'urgence et l'autre dans vos poches. Si vous devez vous faire remplacer, il faut le faire vous-même et ne pas compter sur notre secrétaire pour vous accommoder, expliqua Mathieu Crevier. Il faut que Valrose soit ouverte toutes les fins de semaine. Si on veut devenir un groupe de médecine familiale, il faut faire de la prise en charge et offrir un service assez large pour couvrir toute la population des alentours. C'est pour ça que nous avons tous été formés, déclama-t-il comme devant une classe d'étudiants.

— Je sais tout ça, et je suis prêt, conclut Pierre-André Caron.

Quant à Fabienne, elle était toujours sous le charme. Rien ne clochait et elle avait hâte de rencontrer le docteur Caron dans les corridors, de le croiser à la salle de réunion à l'heure du lunch, de lui demander (exprès) des conseils médicaux. Il affichait un air paisible et semblait ne jamais s'étonner de quoi que ce soit. Pas trop paternel ni directif. Le docteur Caron avait davantage l'air redevable quand il s'était trouvé face à ces quatre jeunes encore à leurs premières années de pratique ; il comptait apprendre de leurs nouvelles théories alors qu'ils étaient fraîchement sortis de la Faculté. Ces jeunes démontraient une grande empathie envers leurs patients, tandis qu'on laissait croire qu'ils formaient une génération d'égoïstes. Pierre-André Caron éprouvait aussi de la reconnaissance envers ceux qui lui donnaient une seconde chance. Il avait apporté avec lui son diplôme de doctorat en médecine ainsi que ses attestations de spécialisation en chirurgie et celle du stage en psychologie que le Collège lui avait conseillé de faire, même si, en fin de compte, il avait été blanchi des accusations qui avaient pesé contre lui, avant même que l'enquêteur de la docte société eût conclu que la responsabilité incombait à une patiente instable. Armé jusqu'aux dents, le docteur Pierre-André Caron était prêt à commencer une nouvelle aventure.

Vers 22 h 30, le nouveau collègue fut accepté et reçut des offres pour l'aider à organiser son cabinet. Fabienne lui proposa de lui refiler trois ou quatre patients pour commencer. De vieux diabétiques et quelques hommes réticents à l'idée de se faire examiner par une femme.

Jeanne Beaulieu avait eu ordre de la docteure Lanthier d'inscrire les patients sans médecin de famille dans le cahier de rendez-vous du docteur Caron et la réceptionniste de fin de semaine réussit à remplir une liste intéressante de patients tous les jours, sauf le vendredi.

— Je ne travaille jamais le vendredi, avait confié le docteur Caron.

Quand viendrait le temps de faire la liste de garde, Fabienne Lanthier s'en souviendrait. « Jamais le vendredi. » Quand la docteure O'Brien entendit ça, elle rétorqua assez violemment :

— Le problème, Pierre-André, c'est que personne ici n'aime faire la garde du vendredi. Faudrait que t'acceptes d'en faire une de temps en temps. Si tu embarques dans la galère, tu vas partager les gardes comme les autres. Sinon, ça créera des iniquités, tu ne penses pas ?

— Je suis prêt à aller voir ailleurs, si vous voulez, Mélissa. Je ne peux pas travailler le vendredi. C'est personnel.

À ces mots, Fabienne s'enflamma et fixa ses collègues en plein dans les yeux.

— Je les ferai, moi, ses vendredis ! C'est correct, oui ? J'ai trouvé un médecin compétent qui veut bien nous offrir un répit et vous regimbez pour une niaiserie !

Mélissa, qui connaissait son amie Fabienne comme le fond de sa poche, comprit qu'il y avait anguille sous roche. Elle avait même remarqué une mystérieuse aura de complaisance qui entourait Fabienne et le nouveau médecin. Elle s'était mise à rire pour rien, Fabienne, la solitaire, Fabienne, l'indépendante. Se pouvait-il qu'elle ait un béguin pour cet homme ? En y pensant bien, il était tout à fait le type de sa copine. Les deux jeunes femmes s'étaient connues au secondaire et leur amitié s'était avérée indéfectible. C'était même Fabienne qui lui avait présenté Pierre Cordier. Mélissa et Pierre allaient fêter leur cinquième année de mariage. Pas d'enfants . Une passion pour la médecine.

Le soir, quand le dernier patient quitta la clinique, Fabienne et Pierre-André Caron se retrouvèrent seuls. Elle cherchait dans le CPS le nom d'un médicament dont lui avait parlé une patiente, et lui plaçait des tonnes de dépliants offerts par les compagnies pharmaceutiques ou par le gouvernement du Québec sur ses présentoirs. Cette paperasse était de moins en moins utile: les patients farfouillaient sur Internet et trouvaient tant d'informations que, souvent, leur état de santé en venait à s'aggraver d'un cran.

Elle se rendit dans la salle de réunion et ramassait son sac à lunch quand Pierre-André entra pour avoir plus d'informations au sujet des réunions hebdomadaires.

— Vous... tu n'as pas besoin d'être là. Les réunions administratives concernent les propriétaires de Valrose, les quatre médecins et le pharmacien. Parfois, il y a des réunions du comité d'éthique.

Pierre-André sourcilla.

— Un comité d'éthique ?

— Bien oui. Nous nous sommes dit qu'il fallait avoir un comité qui pouvait se pencher sur les plaintes internes, quand un patient se plaint des traitements de l'un d'entre nous. C'est Benoît et Mélissa qui s'en occupent pour les premiers six mois. Comme ça, on peut parfois régler des litiges avant que le patient aille porter sa plainte au Collège.

— Et si la plainte concerne le docteur Raymond lui-même ?

— On nommerait un autre docteur. Peut-être qu'on n'en aura jamais besoin. Ça rassure les patients. Y'a une affiche à la réception pour ceux qui ont une crotte sur le cœur. Y'a rien de pire que les patients qui lisent au sujet de leur maladie sur Internet ! Après, ils ont tous les effets secondaires ! Ils arrivent dans notre bureau et, en plus de leur zona, ils font une crise d'angoisse !

— Tiens, en parlant d'angoisse, j'ai deux billets pour le théâtre des Roseaux samedi. *J'angoisse quand tu poses ta main sur mon visage.* Une pièce contemporaine. Ça te dirait de m'accompagner ? À moins que tu veuilles que je te les donne pour y aller avec ton amoureux.

Fabienne pensa que Pierre-André n'avait rien de subtil. C'était facile de comprendre qu'il cherchait à connaître sa situation sentimentale.

— Tu me céderais tes deux billets de théâtre et tu te sacrifierais ?

— Si tu acceptais les deux billets, à ce moment-là, je me sentirais sacrifié.

— Je n'ai pas d'amoureux. J'en ai eu un quand j'étais à la maternelle. Il regardait mes petites culottes sous ma robe quand je montais l'escalier de la glissoire. Après, avec mes études et en plus le travail au dépanneur, je n'ai pas eu la chance de sortir avec les garçons. Je ne cherche pas vraiment. Mais je veux bien aller au théâtre avec toi samedi. À quelle heure ?

— J'irai te chercher vers 19 heures, puis on ira manger au resto après la pièce. Il est tard et je dois déménager mes meubles demain.

Cette nuit-là, le désir monta au creux de son ventre comme cela n'était jamais arrivé à Fabienne. Une braise brûlante lui procurait un besoin irrépressible de se caresser, interminablement, lentement. Elle imaginait les longues jambes de Pierre-André Caron, son membre chargé d'espoir, sa respiration haletante, la sueur coulant sous sa gorge, ses yeux fermés qui s'entrouvraient au gré de ses coups de bassin. Toutes ces choses qu'elle avait lues ou encore qu'elle avait vues au cinéma. Elle l'entendait lui susurrer des mots un peu grivois, forçant l'imaginaire à réagir, elle sentait sa main lui tirer les cheveux vers l'arrière, la contraindre à se cambrer, la monter en poussant des cris de jouissance sauvage avec une autre voix que la sienne, tant ses cordes vocales étaient tendues. Sa main à elle, pendant qu'elle rêvait, formait des cercles lents, appuyés et efficaces sur son sexe humide. Elle atteignit le faîte de la montagne, hurla dans son oreiller pour étouffer son extase, puis redescendit lourdement en se laissant glisser dans la réalité. Elle respira en décélérant, rit comme une petite fille heureuse, puis s'imagina s'endormir sous l'aisselle de son amant. Un rêve de miel, de citron et de chair rose. Elle ne songea pas un seul instant que Pierre-André n'était peut-être pas réellement intéressé par elle, qu'il ne voulait que satisfaire ses pulsions sexuelles ou qu'il avait besoin d'une complice à Valrose. Elle connaîtrait dans quelques jours ses vraies intentions. En attendant, elle pouvait expérimenter les puissantes images que le docteur Caron lui inspirait.

Puis elle s'endormit, heureuse, en ayant hâte au lendemain.

7.

J'angoisse quand tu poses ta main sur mon visage lui parut une pièce beaucoup trop longue. Les comédiens donnaient tout ce qu'ils pouvaient, mais les textes minimalistes tenaient davantage du bla-bla-bla d'adolescents qui font semblant de balbutier pour faire rigoler les autres, ce qui n'aidait pas à soutenir l'attention des spectateurs. De plus, les décors semblaient sortir de la tête d'un designer de chez Ikea et il aurait fallu un doctorat en psychologie pour saisir les propos du jeune auteur. Fabienne songeait à l'après. Les guéguerres entre les personnages principaux n'influençaient aucunement son désir de connaître la suite. La suite des choses étant sa relation avec Pierre-André.

Au souper, elle avait pignoché dans son cerf à la bourguignonne, à peine touché au navet en purée et refusé le dessert, tant elle avait les yeux plongés dans ceux de son collègue, buvant ses paroles, déchiquetant chaque mot selon sa sonorité et analysant le choix de chacun sous le couvert de la passion qu'elle ressentait. Il disait: j'ai le goût... (elle continuait la phrase: *de te baiser*). Je voudrais... (*coucher avec toi*). Sais-tu ce que j'aimerais? (*C'est de passer le reste de ma vie avec toi, Fabienne.*)

Qu'allait-il faire après la dernière goutte de café? Après avoir réglé l'addition? Après avoir refermé la porte de son Audi? Après? Qu'allait faire le docteur Caron quand il stationnerait devant chez elle? Verrait-il d'un mauvais œil qu'elle l'invite à monter chez elle? Sa mère aurait-elle eu raison de lui dire qu'il ne faut jamais coucher avec un gars à la première sortie pour éviter qu'il la juge une fille facile? Fabienne songea que sa mère était d'une autre génération et, ce soir-là, elle allait briser les conventions du Moyen Âge.

— Ça a l'air tiré d'un vieux film français, mais... veux-tu monter chez moi pour prendre le digestif? C'est une proposition très honnête.

— Je ne bois jamais de digestif, dit-il.

— Ah, bon! soupira-t-elle, horriblement déçue.

— Je ne bois que du thé vert avant de me coucher.

— J'en ai du japonais.

— Alors, je monte, conclut Pierre-André en appuyant sur les deux derniers mots.

Fabienne n'eut pas le temps de brancher la bouilloire que Pierre-André avait investi la douche, l'invitant à leur première découverte sous le chahut de l'eau chaude qui grêlait sur leur peau frissonnante. Fabienne aimait l'audace et l'assurance de son amant. Il se servait de la puissance des jets pour exciter la jeune femme dont il appréciait le manque d'expérience, préférant lui enseigner lui-même à le combler de ses caresses et des pressions de sa bouche rose. Fabienne se montra très docile et étonnamment réceptive. Elle ne pensait plus aux boucles de sa chevelure de vanille ni à ses cils coulant de mascara, encore moins à son parfum qui se mêlait aux jets d'eau chaude. Le mélange de leurs odeurs plaisait à Pierre-André et il se sentit bientôt prêt à l'assaut. Il ferma le robinet, sortit pour attraper une serviette dont il enveloppa Fabienne, haletante, décidée, ouverte et la tira vers le divan.

— Tu es sûre que tu es prête ?

Elle ne répondit que par une sorte de grognement animal. Elle ouvrit les jambes et, du bassin, se fraya un chemin vers lui, qui était pressé de pénétrer dans son antre humide.

Ils firent l'amour deux puis trois fois et tombèrent endormis, l'un dans l'autre, puis Pierre-André se lova autour de Fabienne comme un fruit autour de son noyau.

Fabienne était comblée par cette première expérience, mille fois répétée dans la solitude de ses draps, mille fois prévue, mille fois espérée. Elle venait de tomber amoureuse, puis entendit une nouvelle fois sa mère qui lui demandait si Pierre-André n'était pas encore un de ces hommes qui ne désiraient pas s'engager, si ce n'était pas une autre affaire de sexe satisfait, s'ils allaient poursuivre cette relation exaltante à la clinique. Elle se dit qu'elle verrait comment Pierre-André se comporterait envers elle. Devant les autres. Après. Après.

J'angoisse quand tu poses ta main sur mon visage lui revint en tête lorsqu'elle ferma les yeux.

& & &

Quand Fabienne entra à Valrose le lendemain matin, le visage transfiguré par le bonheur, elle se buta à une Jeanne Beaulieu très énervée.

— Docteure Lanthier. Nous avons un grave problème. Le docteur Crevier... une poursuite. Vous savez, les deux petits jumeaux Lamarre dont Mathieu nous a parlé au souper de Noël l'an passé ? Le père a déposé une plainte au Collège des médecins. Ah là là !

— Quoi ? Comment il prend ça ?

— Il est tout chaviré, vous pensez bien ! En plus, rappelez-vous qu'il a voulu rendre service au docteur Raymond, qui était débordé à l'urgence.

— Lamarre l'accuse de quoi au juste ? Mathieu a fait des points de suture à l'autre jumeau et tout allait bien quand ils sont revenus pour faire retirer leurs points. Pas d'inflammation ni de rupture des fils, pas d'infection. C'est quoi, cette histoire-là ? Où est Mathieu ?

— À l'urgence. Il finit à 14 heures. Le médecin du Collège s'en vient le rencontrer. Il est nerveux, pas besoin de vous le dire.

Fabienne, encore étourdie par la nuit passée avec son nouvel amant, se rendit dans la salle d'urgence et aperçut son collègue chamboulé, le visage défait par la détresse. Mathieu Crevier donna congé à sa jeune patiente qui s'était fiché une écharde dans la plante du pied droit, et, en claudiquant, elle le remercia chaleureusement.

— Jeanne m'a raconté ça. Tu n'as pas besoin de t'en faire. Tu n'as aucun motif de t'inquiéter. Je sais, moi, que ton travail est toujours impeccable. Ce gars-là est fou. Il t'accuse de quoi ?

— La lettre du Collège ne le dit pas. On m'envoie le docteur Paquette pour m'expliquer. Y'a rien de pire que de vivre avec une accusation dont on ne connaît pas les raisons. J'ai pas dormi de la nuit. (Elle faillit lui dire qu'il n'était pas le seul.) Stéphanie, elle, ne le prend pas. Elle n'est pas allée travailler ce matin. Une de ses maudites migraines. Je te le dis, je risque de faire des erreurs médicales ce matin à cause de l'inquiétude. Ça fait pas un an que j'exerce et j'ai une plainte, déjà. Je m'attendais à une plainte de mademoiselle Raby. Je lui ai donné sa piqûre d'hormones, et elle s'est retrouvée avec une cellulite. Elle avait le bras comme un jambon. Mais non, je blague. Elle a mis des compresses et ça a disparu. Jamais j'aurais pu croire que le bonhomme Lamarre s'adresserait au Collège ! Merde !

— Si t'as besoin d'un témoin, tu m'appelles. Je le sais, moi, comment tu travailles bien. Si tu veux que je te remplace à l'urgence, n'hésite pas. Mon bureau commence seulement à 18 heures.

— Tu es pas mal de bonne heure, observa Mathieu en consultant sa montre.

— Oui, j'aime lire les dossiers de mes patients avant qu'ils arrivent et puis j'ai reçu beaucoup de rapports d'analyses et je dois appeler trois patients qui ont un diagnostic de cancer. J'aime leur expliquer, répondre à leurs questions, mentit-elle sans remords.

En réalité, c'est Pierre-André qui devait faire sa première garde à l'urgence en remplacement de Mathieu Crevier. Il devait avoir été averti qu'il commençait à 14 heures plutôt qu'à 16 heures. Elle allait peut-être pouvoir l'assister pour accélérer les consultations à l'urgence. Être auprès de lui. Entendre sa voix et être jalouse de toutes les patientes qui allaient recevoir ses conseils, celles qu'il allait palper et à qui il dirait : « Vous reviendrez me voir dans deux semaines. » Elle quitta sa rêverie pour revenir à l'affaire Lamarre. Pourquoi diable ce monsieur n'avait-il pas adressé sa plainte au comité d'éthique de Valrose ? Sans doute le père des jumeaux était-il persuadé que ce comité allait forcément prendre la défense du docteur Crevier et qu'il n'avait aucune chance de se faire entendre. Elle pensa que les médecins, qui doivent payer chèrement leur adhésion au Collège qui décerne leur permis de pratique, ne sont jamais certains de remporter la joute contre cette institution moyenâgeuse qui est là pour protéger non pas ses membres, mais la population. Fabienne se demanda dans quel guêpier le docteur Crevier était tombé.

8.

Claude Lamarre était revenu de la réunion des parents d'élèves de deuxième année avec une mauvaise nouvelle. L'enseignante et l'orthopédagogue avaient affirmé que Félix, l'un des jumeaux dont il s'occupait seul depuis le départ de sa femme, semblait être affligé du syndrome d'Asperger. Ginette, l'enseignante, disait qu'elle avait observé ces drôles de comportements après que son fils était allé à la clinique Valrose et s'était fendu la tête sur la porte de l'urgence.

— Monsieur Lamarre, peut-être que Félix avait ce trouble autistique bien avant cet accident, mais il est difficile de poser un diagnostic à l'âge de six ans. J'ai parlé à son enseignante de première année et elle affirme que Félix était un petit bonhomme différent, avec une intelligence remarquable, mais elle a observé une hypersensibilité au bruit. Elle me disait que votre petit gars a très mal réagi quand on a fait un exercice avec l'alarme du feu.

— Tous les enfants ont peur de la sirène, c'est normal, avait objecté Claude Lamarre.

— Oui, mais Félix, lui, a commencé à se contorsionner, puis à se recroqueviller alors que tous les autres enfants, y compris votre autre fils Jonathan, s'étaient rendus dans la cour pour la récréation. Mais comme c'est le seul événement marquant, l'enseignante n'a rien indiqué dans son rapport.

— Vous évoquez un seul exemple.

— Monsieur Lamarre, je crois que vous devriez le faire évaluer à Sainte-Justine en pédopsychiatrie.

— Il se débrouille très bien, vous devez l'admettre.

L'orthopédagogue avait pris la parole.

— Monsieur, il y a Jonathan qui le protège. Il est comme sa conscience et parfois, il lui explique lui-même les choses que Félix ne saisit pas. Votre Félix est très intelligent et je croyais qu'il agissait comme un enfant surdoué qui, faute de matière à se mettre sous la dent, va déranger la classe. J'ai un neveu qui est Asperger. Il a treize ans et il fonctionne très bien. Mais on l'a diagnostiqué avant même la maternelle. Il se peut qu'on ait négligé le cas de votre Félix. Je ne suis pas médecin, mais je connais plusieurs Asperger et j'en ai suivi une vingtaine dans leur développement. Félix n'a pas besoin que je lui explique les mathématiques, il est plus avancé que le reste de la classe. Je travaille avec lui sa relation avec les autres. Notre collègue, le professeur d'éducation physique, l'observe depuis sa maternelle : Félix n'a aucune habileté physique. Je ne dis pas que votre fils…

— Vous dites que mon fils est malade mental! avait crié Claude Lamarre.

— Ce n'est pas une maladie mentale. Félix est différent, parce qu'il ne comprend pas ce que les autres ressentent. Il n'a pas d'empathie. Mais si vous le faites voir à Sainte-Justine pour qu'on puisse établir un diagnostic précis, on pourra mieux l'aider, avait ajouté l'enseignante.

— Vous avez dit que c'est à cause de la fois où il s'est fendu la tête? Jonathan aussi, ça lui est arrivé et lui n'a pas la maladie de son frère. Vous me prenez pour une valise?

— Nous avons dit que nous avons observé des comportements différents DEPUIS cet accident et pas À CAUSE de l'accident. Ne déformez pas nos paroles, monsieur Lamarre.

Claude Lamarre était interloqué. Il se mit à réfléchir. Il était vrai que Félix avait changé. Il avait peur de dormir seul et allait se réfugier auprès de Jonathan ou dans le lit de son père. Il faisait des casse-têtes difficiles et pouvait s'y astreindre pendant deux ou trois heures même si Jonathan l'exhortait à aller jouer aux Lego ou à faire de la bicyclette. Félix se mettait tout à coup à frapper la table avec son pied et ne s'arrêtait que quand lui-même allait le changer de place. Puis, une douleur diffuse lui monta au front: Claude Lamarre se rappela que Félix avait mordu son frère et était demeuré prostré pendant tout le temps que Jonathan pleurait, sans réaction aucune. Se pouvait-il que l'un de ses jumeaux puisse être atteint de ce syndrome bizarre sans que l'autre en soit victime ?

Claude Lamarre prit un rendez-vous en pédopsychiatrie à l'hôpital Sainte-Justine et fut étonné qu'on le lui fixât pour la semaine suivante.

Le docteur Cummings était un médecin très qualifié dans la recherche sur le syndrome d'Asperger et sur l'autisme. Il ne mit pas longtemps à être convaincu de l'état de Félix. Il était décontenancé en songeant que l'un des jumeaux était un enfant normal et que l'autre n'arrivait pas à seulement regarder une personne en face, qu'il vivait dans une sorte de bulle et qu'il avait une intelligence supérieure, encore fallait-il que l'enfant accepte d'en fournir les preuves. Félix vivait tel un escargot qui pouvait demeurer plus longtemps que les autres dans sa coquille, comme s'il était seul au monde. Le docteur Cummings confirma ce que les enseignantes de Félix avaient soupçonné : l'enfant était atteint du syndrome d'Asperger. La première question de Claude Lamarre fut au sujet de la provenance de cette affection. Le fameux pourquoi. Le spécialiste avoua que personne ne le savait. Et que ces enfants avaient seulement de grandes difficultés avec les conventions sociales. Il n'était pas sûr qu'ils aient tort dans leur vision de la présence de l'Homme sur cette planète. Ce qui consola Claude Lamarre. Si Jonathan voyait une grosse personne, il détournait son regard parce que sa mère lui avait toujours dit de ne pas fixer les gens. Devant la même grosse personne, Félix pouvait demeurer vingt minutes à la regarder fixement, comme envoûté. Il ne répondait effectivement à aucune convention.

Claude Lamarre revint à la maison avec son fils et y retrouva Jonathan, remercia la gardienne, puis téléphona à son ex-conjointe pour lui apprendre la triste nouvelle.

— Tu mens encore, Claude Lamarre! Félix n'a rien. Enfin, il n'avait rien quand c'est moi qui l'élevais. Il était comme son frère, aussi allumé et aussi attachant. Je ne sais pas ce que tu as fait de lui.

— Je n'ai rien fait d'incorrect! L'enseignante des jumeaux m'a dit qu'elle a commencé à lui trouver de drôles de comportements après les points de suture qu'il a eus à la nouvelle clinique.

— Quoi? Il a peut-être fait une infection crânienne. As-tu consulté le docteur?

— Non, je ne savais pas qu'il avait changé après ce rendez-vous à l'urgence.

— Maintenant que tu le sais, vas-tu les poursuivre? N'attends pas que je le fasse. Je suis encore sa mère après tout!

— Ça ne servira à rien de les poursuivre directement. Ils vont tout nier. Le docteur de Sainte-Justine m'a dit que la science ne sait pas encore comment un enfant peut attraper le syndrome d'Asperger. Ils font des recherches en ce moment. Presque tous les enfants atteints ont aussi le syndrome du côlon irritable. Félix pleure souvent à cause de maux de ventre. Ça se pourrait.

— Ça serait un virus, tu penses ?

— Peut-être. Ils ne savent pas. Je vais m'adresser au Collège des médecins. Ma plainte va avoir plus de poids. Je vais appeler demain.

— T'es mieux, Claude. Sinon, je vais redemander la garde.

— Commence pas ! Les jumeaux sont mieux avec moi, peu importe les maladies qu'ils attrapent. On va guérir Félix, ne crains pas.

& & &

Le docteur Paquette avait l'air posé, sérieux et très conscient de l'effet qu'il pouvait produire sur les médecins accusés d'une erreur médicale. Il salua Jeanne, se nomma et elle lui répondit qu'il était attendu sur un ton qui était loin de l'accueil qu'elle réservait habituellement aux autres patients. Que ce membre du syndic du

Collège des médecins vienne en personne enquêter auprès de son cher docteur Crevier la rendait très nerveuse.

Même s'il n'avait aucune raison de craindre quelque réprimande que ce soit, Mathieu ressentait un profond malaise depuis qu'il se savait sous enquête. Au téléphone, le docteur Paquette avait tenté d'être réconfortant, son but n'étant pas de créer de l'angoisse chez un jeune praticien. Il avait même ajouté que le docteur Crevier n'avait rien à se reprocher, mais que le plaignant avait poussé plus loin sa plainte, ne se contentant pas d'accepter le refus du conseil d'administration de la considérer comme sérieuse.

Le docteur Paquette accepta l'invitation de Mathieu Crevier à prendre place dans l'un des fauteuils réservés aux patients.

— La plainte est farfelue, selon moi, commença Crevier. Accuser un médecin d'avoir provoqué le syndrome d'Asperger chez un enfant en lui faisant des points de suture au cuir chevelu, laissez-moi vous dire qu'il y a de quoi se demander dans quelle société nous vivons. Avant, les parents accusaient les vaccins des dix-huit mois d'être responsables de l'autisme. Puis un gène qui n'a jamais été identifié. Puis les produits domestiques et la pollution atmosphérique, et quoi d'autre?

— On va tout revoir ça ensemble. Il y avait d'autres médecins dans la clinique ce jour-là?

— Et comment donc! C'est le docteur Raymond qui m'a appelé en renfort. Les deux jumeaux avaient besoin de points de suture et le père, M. Lamarre, tombait dans les pommes au même moment! Un choc vagal. La réceptionniste et deux de mes collègues sont venus à notre secours. Quand ils ont quitté la clinique, le père et ses deux enfants étaient en pleine forme, mis à part l'énervement causé par la situation.

— Avez-vous observé quelque chose de différent chez le jeune Félix? Différent de son frère, par exemple.

— Félix, c'est celui qui s'est effondré contre la porte de l'urgence. Il était impressionné par les points de suture de son frère. D'ailleurs, je ne comprends pas pourquoi personne n'a allumé: l'Asperger n'a aucune empathie. C'est ce qui nous fait dire qu'il vit dans sa bulle, insensible aux sentiments des autres.

— Et puis?

— Et puis, si Félix avait été Asperger, il n'aurait pas été touché par les malheurs de son frère.

Le docteur Paquette ne répondit pas tout de suite. Il retourna dans le dossier des Lamarre, fureta un brin, puis déclara:

— Monsieur Lamarre ne dit pas que son fils était Asperger au moment de votre intervention, mais il est certain que quelque chose est arrivé peu de temps après sa visite à votre clinique d'urgence. Il a commencé à se douter de quelque chose, il a remarqué des changements dans son comportement, et l'enseignante des jumeaux et une spécialiste en pédagogie ont rencontré monsieur Lamarre et lui ont dit qu'elles avaient des raisons de croire que Félix souffrait d'autisme... depuis peu.

— Depuis peu ? Mais ça n'arrive pas d'un instant à l'autre comme une rage de dents, voyons ! Selon moi, un enfant autiste ou Asperger naît ainsi. L'affection est latente peut-être, et se manifeste à un moment donné.

— À votre avis, docteur Crevier, un traumatisme peut-il déclencher un pareil syndrome, si vous dites qu'il est latent ?

— Je ne dis pas non. J'ai une pierre à la vésicule. Elle ne m'importunera pas jusqu'à ce que je mange trop de beurre et que je me retrouve sur la table d'opération. Il me semble que l'Asperger est un tout autre dossier, mais plus rien ne peut me surprendre. Je doute quand même que l'état de Félix Lamarre se soit modifié après des points de suture. À moins que la contusion contre la porte ait créé une lésion au cerveau. Quand j'ai terminé ses points, Félix était en pleine forme. Alors qu'une lésion au cerveau aurait produit des séquelles presque immédiates. Vous m'avez dit que c'est l'enseignante qui s'est aperçue que son comportement changeait. C'est longtemps après, il faut le dire.

— Vous me semblez être sur la défensive, docteur Crevier. Je ne vous accuse de rien. Je suis là pour vous aider. Vous pouvez consulter le programme d'aide aux médecins. Mais moi, je ne suis pas là pour vous accuser de quoi que ce soit.

— Le pire cauchemar d'un médecin de famille, c'est de voir le Collège débarquer chez lui ! On fait tous de notre mieux.

— Je sais ça. Je vais vous tenir au courant de toute façon. Merci de votre collaboration.

& & &

Le docteur Paquette fit son rapport au Collège, le syndic ayant jugé cette plainte non fondée.

Il rencontra Claude Lamarre, qui, étonnamment, était accompagné de la mère des jumeaux. Pendant que Jonathan venait s'asseoir sur les genoux de sa mère, qu'il parcourait les magazines sur la table basse, Félix grattait une petite tache de peinture sur la fenêtre, inlassablement, sans jamais prendre de pause.

Le docteur Paquette sut que Félix Lamarre souffrait du syndrome d'Asperger. Il sut aussi qu'il briserait le cœur du père du garçon en lui affirmant que cette « maladie » ne pouvait nullement apparaître après s'être fendu le crâne sur une porte, ni après avoir été recousu très adroitement par le docteur Crevier.

9.

Pierre-André Caron s'intégra assez facilement dans le groupe de médecins de Valrose. Ses heures de bureau s'allongeaient de plus en plus et, bientôt, il rattrapa Fabienne, Mathieu, Benoît et Mélissa.

Il avait gardé sous silence sa nouvelle relation avec Fabienne Lanthier pour des raisons un peu obscures. Fabienne, elle, mourait d'envie de révéler son amour à ses collègues, mais Pierre-André ne voulait pas.

Un soir, au moment de fermer la clinique, elle se rendit dans le cabinet de Pierre-André et le surprit en pleine conversation avec une jolie patiente qui pleurait encore, à la suite, sans doute, des confidences qu'elle avait faites à son médecin. Avant qu'il ne s'aperçoive de la présence de Fabienne, le docteur Caron disait:

— J'ai changé de clinique justement pour ne plus te faire de mal.

Dès qu'il vit sa maîtresse dans l'embrasure de la porte, il se leva, ramassa le dossier de sa patiente en pleurs, le coinça rapidement sous une pile de documents divers, puis, nerveusement, montra la porte à sa cliente qui, au moment de passer devant lui — selon Fabienne qui regardait la scène —, le frôla avec des vagues de phéromones détectables à des mètres. Fabienne sut que cette femme aux cheveux de feu n'était pas une patiente comme les autres. Plus jolie qu'elle et probablement plus aguichante… Elle ne pourrait continuer sa relation avec Pierre-André avant de tout savoir.

— Qui est-elle ?

— Une patiente. Pourquoi cette question ? Toutes les personnes qui sont dans mon bureau sont des patients, docteure Lanthier, répondit-il en riant aux éclats. La petite demoiselle serait-elle jalouse, par hasard ?

Cette expression incommoda Fabienne.

— Ce n'est pas normal qu'une « petite demoiselle » aime assez son amoureux pour ne pas vouloir le partager avec une autre personne, docteur Caron ?

Elle sortit puis retourna à la réception et se lança dans le cahier intitulé Pierre-André Caron, l'ouvrit et parcourut la liste en s'arrêtant sur le nom de sa dernière patiente : Éléonore C. Marques. Sans trop réfléchir, elle inscrivit le numéro de téléphone de cette pimbêche. Elle attendrait que le dossier MARQUES soit retourné dans les filières pour le consulter le soir de garde.

Depuis leur sortie au théâtre, Fabienne et Pierre-André se toisaient malicieusement en se croisant dans les corridors, se consultaient au sujet de certains cas inquiétants, discutaient de l'affaire Lamarre que leur avait confiée Mathieu Crevier, mais jamais la date de leur prochaine sortie amoureuse n'était évoquée. Fabienne rêvait à lui toutes les nuits en repensant à chaque instant passé avec son premier amant. Elle se posait des tas de questions. « Suis-je assez jolie ? Suis-je trop ennuyante ? » Elle se rappela à quel point il avait ri quand elle lui avait récité *Le Corbeau et le Renard* avec l'accent acadien, nue comme un ver, avec son blouson sur la tête ! Que se passait-il exactement ? Était-il un de ces gars qui aiment l'aventure ?

À 22 heures, tout le monde avait quitté la clinique et elle se retrouva seule à la réception. Elle tourna la roue qui actionnait les classeurs et chercha dans les MA. Aucune Marques. Elle chercha dans la pile de dossiers en attente de classement qui s'étaient accumulés sur le bureau de William. Toujours rien. Elle se rendit alors dans le bureau de Pierre-André, pourtant certaine qu'elle ne trouverait rien, puisque tous les médecins devaient rapporter le dossier de chaque patient pour qu'il puisse recevoir sa rémunération de la RAMQ. Pas de dossier au nom d'Éléonore Marques.

Le cœur gros, les yeux bouffis, Fabienne retourna chez elle et espéra que Pierre-André lui écrirait ou lui téléphonerait avant d'aller au lit. « J'ai changé de clinique justement pour ne plus te faire de mal. » Il avait connu cette fille. Mais comme il arrivait d'Haïti, elle n'avait sûrement pas consulté Pierre-André à Jacmel. Comment se connaissaient-ils ? Pourquoi Pierre-André avait-il l'impression qu'il lui avait fait du mal dans… une autre clinique ? La nuit allait être longue. Elle avait quitté sa caverne fœtale, sa solitude et son désespoir pour se retrouver, amoureuse, le feu au cœur, plus seule que jamais.

Une cloche tinta sur son Mac. Elle venait de recevoir un message courriel.

« Tu vas bien ? »

Elle rétorqua :

« Ça dépend de quel point de vue je me place. »

Il se passa plusieurs secondes avant que Pierre-André ne lui réponde.

« Tu ne peux pas être jalouse d'Éléonore. »

« Pourquoi lui as-tu dit que tu avais changé de clinique pour ne plus lui faire de mal ? C'est très inquiétant pour moi et tu le sais. Qui est cette fille ? »

Il ne répondit pas et ferma son ordinateur, laissant Fabienne rivée à son écran comme un quidam qui regarde partir les bateaux sur le quai. Il lui faudrait attendre au lendemain pour en savoir plus. Il y avait anguille sous roche. Une jolie anguille qui avait dû électrifier son amant dans un passé pas très éloigné.

Dès qu'elles furent informées de l'ouverture du nouveau bureau, les patientes envahirent le cabinet d'Ayoub Rached, le gynécologue-obstétricien. Le spécialiste avait choisi aussi les soirs pour que les « petites mères » puissent venir le consulter à leur guise. Il assurait deux jours et demi de consultations et ne voyait que les futures parturientes qui présentaient un risque de grossesse problématique. Les tailles fortes, comme il les appelait, les femmes de plus de trente-cinq ans et les patientes que lui envoyaient ses compatriotes.

Ayoub Rached était un bel homme à la peau légèrement cuivrée, aux cheveux serrés et aux dents très blanches. Il devait avoir autour de trente-cinq ans, était amoureux d'une infirmière de son département et traînait la jambe droite, ce qui le propulsait à la vitesse d'un escargot. Son sarrau était blanc, presque toujours neuf, ce qui fit dire à Jeanne Beaulieu et à William qu'il devait être nickel ! Pour sa part, Jeanne croyait qu'il était malsain qu'un homme choisisse la gynécologie pour « passer sa vie entre deux jambes » à l'année longue.

— C'est des pervers ! Ils doivent avoir manqué de quelque chose dans leur enfance !

— Y'a des hommes pédiatres qui n'ont pas d'enfants. Et des cardiologues qui n'ont pas de cœur! dit William.

Ils se mirent à rire.

Ayoub Rached avait, parmi sa clientèle, une majorité de femmes d'origine maghrébine ou libanaise. La plupart étaient accompagnées de leur mari qui exigeait d'assister à l'examen car il s'agissait de leur enfant, après tout. Ayoub avait dû embaucher une infirmière après qu'un membre du Collège le lui eut recommandé quand il fut blanchi de l'accusation d'avoir «posé les doigts sur le clitoris de madame afin de vérifier l'état de sa capacité de jouir», disait la plainte. Ce couple du Liban avait finalement quitté le Canada, certain qu'il était victime de racisme. L'arrivée de Carole Pedding, une infirmière trilingue plutôt âgée, avait rassuré le Collège qui avait par la suite rejeté la plainte. Jeanne se disait, quant à elle, que de plonger les doigts dans le vagin d'une femme qui n'a aucun problème important était de l'abus. Elle faisait rire ses collègues en allongeant ses idées rétrogrades.

10.

Prospère Bourgault était à quelques mois de la retraite. Il tenait dans le journal régional une chronique d'humeur très suivie par les lecteurs. Il était une sorte de Claude Poirier des résidents de la ville. Un ombudsman, pour ainsi dire.

Quand Claude Lamarre sollicita un rendez-vous, Prospère se méfia un peu, mais ne put s'empêcher de porter une grande attention à l'histoire de ce père dont la femme l'avait laissé seul avec ses deux fils. Une telle situation n'existait pas à l'époque où Prospère — son prénom témoignait d'une très ancienne époque — avait commencé à vivre avec Nicole. Les femmes qui abandonnaient leur mari en leur confiant l'éducation des enfants étaient extrêmement mal perçues par la terre entière.

Monsieur Lamarre le laissa bouche bée. À la nouvelle clinique Valrose, on handicapait les patients! Ce père totalement découragé voulait que, dès la semaine suivante, toute la ville soit au courant: le docteur

Mathieu Crevier avait rendu Félix autiste en le laissant perdre conscience et se frapper le crâne contre la porte de l'urgence.

Le pauvre père raconta, tout en exagérant bien entendu, le manque de professionnalisme du jeune docteur auquel le Collège avait d'ailleurs rendu visite à la suite de sa plainte.

— Si j'avais tout inventé, monsieur Bourgault, vous savez bien que le syndic du Collège m'aurait reviré.

— Votre fils est autiste depuis l'accident ? Vous en êtes certain ? C'est tout de même bizarre. Le fils de mon cousin Édouard…

— Pas autiste, mais Asperger.

— Étrange.

— Appelez à Valrose, ils vont vous le dire, que le docteur Crevier a été visité par le syndic, un certain docteur Paquette.

Le journaliste avait entendu toutes sortes d'histoires de vengeance. Des citoyens habités par la jalousie ou motivés par l'argent se mettaient à raconter, avec moult détails, des scénarios totalement inventés pour incriminer un beau-frère, un voisin, un ancien compagnon de prison. Mais l'homme lui avait montré la photo d'école de son fils Félix en versant quelques larmes.

— Mon Félix ne sera plus jamais comme avant. Sa mère sanglote jour et nuit, mentit monsieur Lamarre à court d'arguments.

Le journaliste se leva, serra franchement la main de son interlocuteur et lui donna une accolade d'encouragement.

— On va s'occuper de ça, Claude. Ne vous inquiétez pas. Les docteurs sont pas mal prétentieux avec tout leur argent. Il importe de leur donner une leçon de temps à autre, non ?

L'Envolée était un petit journal qui s'était donné pour mission de rendre des comptes à ses lecteurs. Il arrivait à être publié chaque semaine grâce aux publicités des commerces et des personnes qui avaient quelque chose à offrir aux vingt-deux mille citoyens de la municipalité. Le propriétaire, Camille Vézina, avait d'ailleurs bien averti ses journalistes qu'il ne fallait jamais écrire quoi que ce soit qui puisse ternir la réputation d'un annonceur du journal.

Prospère Bourgault feuilleta le dernier numéro et constata avec satisfaction que Valrose n'avait payé aucune publicité.

— Ça va être laid, marmonna-t-il en ramassant ses clés et son carnet de notes.

Bourgault s'imagina remporter un prix de journalisme pour un article percutant, dénonçant une erreur médicale de grande envergure.

Arrivé chez lui, il raconta toute l'affaire à Nicole, qui ne put s'empêcher d'encourager son mari à tout divulguer avec moult détails.

— La vie d'un enfant est chamboulée à jamais, Prospy !

— Une chose me chicote, Nicole. Tu sais, le fils d'Édouard, personne n'a attendu qu'il ait six ans pour découvrir qu'il était différent de ses petites sœurs. À deux ans, il n'agissait déjà pas comme les autres.

— L'Asperger n'avait pas encore été inventé, glissa Nicole sans trop réfléchir à ses propos.

— Il y en a toujours eu, mais on les mettait avec les déficients mentaux. Sauf que dans le cas du fils d'Édouard, il est devenu un metteur en scène de renom à Londres, connu dans les plus grandes universités du monde. Mais le petit Félix aurait attrapé ça en se frappant sur une porte ou, comme le raconte son père, le médecin lui aurait refilé une infection ou une sorte de parasite dans le cerveau. Compliqué, tout ça.

— Très compliqué. Tu n'as pas un métier de tout repos, mon Prospy ! admit Nicole en lui donnant un baiser sur le bout du nez.

— Le journal a besoin d'une histoire comme celle-là ! Mais ça peut être dangereux pour nous.

— L'Envolée possède des assurances. À part ça, tu n'as qu'à utiliser le conditionnel. « Le petit Félix

Lamarre aurait été diagnostiqué Asperger, selon ce que raconte son père. » Ainsi, tu vas te protéger.

— Mais le conditionnel laisse présumer que le père ne dit pas toute la vérité en demeurant dans les suppositions.

— Ça ouvrira la discussion sur l'Asperger.

— Ça laissera supposer qu'à la clinique Valrose, il y a des incompétents chez les jeunes médecins.

— Tu as peut-être raison.

Nicole posa son livre et monta à sa chambre.

Prospère ouvrit Internet et commanda le mot *Asperger* au moteur de recherche. « On ne connaît pas encore l'origine ni les causes du syndrome d'Asperger qui, pourtant, est de plus en plus observé dans notre société moderne », disait le docteur Morrisseau, un Français spécialiste de cette maladie, reconnu dans le monde entier.

Dans *L'Envolée* du 27 juillet, on pouvait lire l'article de Prospère Bourgault avec une photo des jumeaux Lamarre.

« [...] Le petit Félix, qui aura bientôt huit ans, vivrait constamment dans une sorte de bulle, nullement préoccupé par les activités quotidiennes se déroulant autour de lui. Ses gestes seraient répétitifs et excessifs et il aurait du mal à se faire des amis. Comme il est victime d'intimidation, mot à la mode par les temps qui courent, les parents de Félix songeraient à inscrire leur fils dans une autre école plus à l'écoute de sa réalité. Le père de Félix, Claude Lamarre, a pris congé de son travail pour s'occuper de son fils. Pour l'instant, Félix fréquente toujours la même école que son frère Jonathan, mais pour une meilleure compréhension de son état et puisque le personnel de l'école Les Tournesols ne semble pas comprendre les difficultés de l'enfant, monsieur Lamarre devrait lui-même embaucher une accompagnatrice pour suivre Félix lors de tous ses déplacements dans le cadre scolaire. Ces frais représentent beaucoup pour cette famille à revenus faibles. Ce travailleur a contacté le Collège des médecins, la plus haute instance en ce qui a trait à la protection du public dans le domaine de la santé, et un enquêteur a rencontré le docteur Mathieu Crevier à la clinique Valrose, pour lui demander ce qui s'est passé quand il a fait des points de suture à Jonathan à la suite d'une chute à bicyclette et que Félix, hautement impressionné par l'état de son jumeau, a perdu connaissance et s'est à son tour fendu le cuir chevelu d'une oreille à l'autre. C'est là, selon la prétention de Claude Lamarre, que son fils aurait « attrapé » (*sic*) le syndrome d'Asperger dont la cause est encore inconnue.

« Le docteur Crevier n'a pas répondu à notre demande d'entrevue téléphonique. Votre journaliste a cependant pu discuter avec le père d'un adulte lui-même autiste qui n'a reçu aucune aide de sa commission scolaire et qui, à l'heure où l'on se parle, est un docteur en biologie très célèbre dans le monde. Il faut ajouter que le syndrome d'Asperger est d'origine inconnue. Monsieur Lamarre, lui, semble croire le contraire et il a décidé de se battre sur tous les fronts (excusez le jeu de mots) pour aider son fils. »

Le lendemain de la distribution de l'hebdomadaire, les appels ne cessèrent pas au journal. Des centaines de citoyens vinrent offrir des dons en argent, des jouets, des vêtements pour le petit Félix Lamarre, et des parents inquiets affluèrent pour parler de vive voix à Prospère Bourgault qui, quoique très prudent dans la formulation de son article, avait réussi à créer la panique parmi ses lecteurs.

Prospère, assis à sa table de travail, avait fini par interdire à la réceptionniste de lui refiler les appels. Elle obtempéra jusqu'à ce que le grand pédiatre de Sainte-Justine spécialisé en autisme demande à parler au journaliste devenu la vedette de *L'Envolée.*

Lorsqu'il revint à la maison, Nicole s'aperçut que son Prospy était dans de sales draps, malgré toute la délicatesse de son article. « On fait son lit comme on se couche », se répétait-elle intérieurement.

Se pouvait-il que Claude Lamarre ait menti à son mari ? D'après l'article de Prospère dans cet hebdomadaire qu'elle-même ne lisait que très rarement, Nicole avait senti la haine dans le témoignage du père de ce pauvre petit garçon en plus d'une arrogance sans limites. Les mots « maudits docteurs », « leur manque d'expérience », « une petite vie brisée » finirent par la convaincre que Prospère prendrait une retraite prématurée.

& & &

Fabienne Lanthier et Mélissa O'Brien n'avaient pas souvent l'occasion — hormis lors des réunions administratives de Valrose — de discuter d'autre chose que du traitement de l'impétigo ou du syndrome de la mort subite du nouveau-né.

Elles eurent cette fois-là l'occasion de discuter du Collège, de sa menace omniprésente sur leur pratique, de l'interrogatoire éhonté de leur confrère. Fabienne voulait en venir à sa relation avec Pierre-André Caron. Mais elle tenait également à parler de Mathieu et de la plainte de Claude Lamarre.

— Pas un membre du Collège n'accusera Mathieu, lança Mélissa. Il ne faut pas connaître l'Asperger, franchement. Accuser un médecin d'avoir rendu un enfant Asperger !

— C'est ce que soutient Pierre-André Caron.

Et Fabienne posa sur Mélissa un regard qui en disait long.

— Pierre-André Caron, hein? Arrête. J'ai tout deviné. Tes yeux de chatte en train de se soulager dans un carré de sable! Ta bouche en cœur et tes battements du myocarde qui s'entendent à travers le mur de l'urgence!

À l'époque de la Faculté, Fabienne se serait objectée vivement. Cette fois, elle dit:

— Ça paraît tant que ça?

— Alors, si c'est vrai, il faut que tu le surveilles. Hier, Jeanne m'a raconté qu'une belle rousse est venue le voir et qu'il l'a embrassée avant de la faire entrer dans son bureau.

— Ah, non! Pas encore cette maudite-là!

— C'est pathétique, mais peut-être que tu t'inquiètes pour rien.

— L'autre jour, cette fabuleuse carotte était assise dans son bureau. J'ai tout de suite pensé qu'il y avait quelque chose entre eux. Cela ne m'a pas quittée depuis. Il lui a dit: *J'ai changé de clinique pour ne plus te faire de mal.* Ça fait des jours que j'essaie de comprendre ce que Pierre-André a voulu dire.

— Des vestiges d'une ancienne flamme, sans doute. Il est très attirant, tu sais. Jeanne le regarde d'une manière intéressée. Je dirais même que William le désire lui aussi!

— Jeanne ? Tu fabules, Mélissa !

— Pas une miette. Elle a l'air de rien, comme ça, mais Jeanne a davantage l'âge de Pierre-André que toi. Elle aussi, elle est libre. Observe comment elle le regarde.

— En parlant de la réceptionniste, Jeanne semble dépassée par la tâche. L'administration des formulaires de facturation lui en demande trop. On reçoit beaucoup d'appels. Il nous faut une vraie secrétaire médicale. Une fille débrouillarde qui s'assurera qu'on ne manque de rien, qui appelle les patients qui ne viennent pas à leur rendez-vous, qui prend les rendez-vous des représentants pharmaceutiques, qui connaît bien le français. Hier, j'ai fait s'installer une patiente sur les étriers et je me suis rendu compte qu'il manquait de spéculums et que le papier à examen était au bout du rouleau. Jeanne n'a pas le temps de s'occuper des commandes et nous, encore moins. Pis, la petite qu'on a engagée pour la seconder ne vaut pas cinq cents. Aussitôt que l'on trouvera une secrétaire débrouillarde, je vais la congédier. On la paye pour parler à son chum sur son portable…

— Contente que tu t'en sois aperçue, Fab !

— Nous allons embaucher une secrétaire médicale dès demain, assura Fabienne. Je m'en occupe.

Au moment où elles allaient quitter la salle de réunion, William entra, au comble de l'énervement.

— Il y a trois représentants qui veulent vous voir tous en même temps ! Deux enfants qui braillent, un gars saoul, pis le téléphone n'arrête pas de hurler ! Si ça continue, je vais devenir fou !

Fabienne se mit à rire.

— Quand je pense au maire Gagnon qui se demandait si cette ville avait vraiment besoin d'une clinique médicale et si elle pouvait être rentable !

11.

Les demandes d'entrevue pour le poste de secrétaire médicale affluèrent. Jeanne et William, durant
chacun son quart de travail, distribuaient les rendez-
vous après avoir survolé les curriculum vitæ de chaque
candidate. Que des femmes. Le cahier des entrevues
était rempli de noms de femmes de tous âges, de diverses
nationalités, avec ou sans expérience. Fabienne Lanthier
bloqua toute une journée dans son agenda pour rencontrer les secrétaires médicales potentielles.

La première, de nationalité turque, arrivée au
pays depuis à peine trois ans, ne s'exprimait qu'en
anglais et les humbles notions de français qu'elle
possédait n'auraient pas suffi à tenir le secrétariat d'une
clinique comme Valrose. Les quatre autres n'arrivaient
tout simplement pas à s'exprimer correctement, tous
sujets confondus. La sixième avait les dents cariées et, à
deux mètres, pouvait faire tomber raides mortes toute

une nuée de mouches. Fabienne se dit que l'été, en camping dans une forêt de sapins envahie de mouches noires, elle aurait pu être utile. Elle se mit à rire de sa bonne blague qu'elle ne pouvait pas partager pour le moment. Puis elle se rendit à la réception où se remplissait la troisième cafetière et revint boire son café à son bureau tout en soupirant devant la dizaine de candidates qui la regardaient avec un sourire intéressé. La septième et la huitième ignoraient tout du secrétariat médical, mais elles avaient travaillé l'une pour un dentiste et l'autre pour une optométriste. Fabienne rangea les deux dossiers dans le classeur : deux candidates à rappeler. Les trois autres voulaient le double du salaire que leur offrait Valrose, citant en exemple celui des secrétaires de la polyclinique Ville-Marie ou de la Clinique de médecine privée de Saint-Gérard. À bout de patience, la docteure Lanthier reçut les trois dernières intéressées qui ne pouvaient pas répondre à ses questions de base, même après avoir juré qu'elles avaient toutes acquis de l'expérience dans des bureaux de médecins pratiquant dans des contrées lointaines où il eût été impensable d'obtenir rapidement des références.

Découragée, Fabienne se rendit dans le bureau du docteur Raymond qui avait, lui, de bonnes notions pour l'embauche du personnel. Une odeur de bourbon ou de cognac lui effleura les narines quand, après avoir frappé, Benoît lui ouvrit la porte. Elle avait déjà remarqué qu'après la fin de ses examens, le docteur Raymond buvait assez d'alcool pour que des effluves enivrants se répandent dans l'atmosphère, créant un certain inconfort. Cependant, jamais il ne buvait pendant ses heures de consultation.

— Ça va, Benoît? J'ai passé des heures à rencontrer une quinzaine de filles pour le poste de secrétaire et aucune ne fait l'affaire. Ou trop quelconques, ou arrogantes, ou trop niaises. Et ça nous en prend une pour lundi. Tu ne connais pas quelqu'un, toi? La clinique est en train de devenir un monstre, et il faut aussi que je remplace la fille des fins de semaine qui ne vaut pas grand-chose. Les mauvaises nouvelles s'accumulent.

— Je peux demander à Carolane, la fille que j'ai rencontrée samedi passé. Elle a plein d'amies qui se cherchent du travail.

— On a besoin de la perle rare. Une fille qui peut aussi diriger les autres employées. Jeanne est assez malléable, mais William, lui, ne se laissera pas piler sur les baskets. Enfin, comme il travaille de soir, il n'aura pas souvent affaire à elle.

— Je vais demander à Pierre-André et à Mélissa d'ouvrir l'œil. Des fois, au bureau, il y a des patientes qui pourraient faire l'affaire.

Fabienne était de nouveau enthousiaste. Elle devait trouver.

Vers 17 heures, William lui téléphona pour lui dire qu'une autre candidate venait de s'ajouter. Après un stage à l'étranger, elle venait de démissionner de l'hôpital Notre-Dame où elle était secrétaire de la clinique d'obstétrique depuis deux ans. Elle connaissait la clientèle exigeante que constituaient les patients de Valrose. Elle avait beaucoup entendu parler de la nouvelle clinique et était prête à commencer le lundi suivant. Le salaire lui convenait, avait-elle laissé entendre à William, qui, tout enthousiaste, lui promit une entrevue avec la docteure Lanthier.

Fabienne sortit de son bureau avec la ferme intention de dire à William qu'il aurait dû la consulter, car elle avait un rendez-vous précisément à 17 heures. Quand elle aperçut la candidate qui la fixait en souriant, elle faillit perdre connaissance, là, sur le tapis. Ce qu'elle vit d'abord, ce fut une tignasse rousse, souple et brillante, ondulée et probablement à l'odeur de lavande. Elle. La fille qu'elle avait aperçue dans le bureau de Pierre-André. Cette fille énigmatique qui avait obscurci ses nuits blanches. Cette fille qui avait fait naître un vif sentiment de jalousie, le premier de sa vie de femme, un sentiment qui lui faisait douter de tout. Éléonore C. Marques, put-elle lire sur la feuille que lui tendit William. Tout étourdie, Fabienne lui rendit son sourire qui s'estompa comme un rai de lumière assombri par un cumulus. Elle ne pouvait pas lui dire qu'elle avait déjà convenu d'une candidate, car William lui avait affirmé qu'elle cherchait encore. Elle ne pouvait pas lui dire qu'elle était, elle, l'amoureuse de Pierre-André Caron, puisque personne ne devait le savoir parmi les employés pour l'instant. Elle ne pouvait pas non plus la rejeter si elle avait autant d'expérience qu'elle l'avait affirmé.

— Mon frère m'a dit que vous cherchiez une secrétaire médicale avec de l'expérience, prête à tout prendre en main. Là où je travaillais, je passais toutes les commandes de matériel, je prenais les rendez-vous pour les docteurs, j'écrivais toutes les lettres profession-nelles, je faisais la facturation et préparais les cahiers comptables, je faisais le café et je remplaçais la récep-tionniste quand cela s'avérait indispensable. En deux ans, j'ai abattu tellement de travail que jamais je n'aurais cru solliciter une entrevue pour un poste de secrétaire médicale, vous savez.

— Pourquoi êtes-vous partie ?

— Une affaire… sentimentale. Disons que je me suis éprise de l'un des obstétriciens et que sa femme n'a pas tellement apprécié.

Fabienne se cala dans son fauteuil en respirant un grand coup. Cette fille était jolie, sans être très belle. Elle portait un tailleur, ce qui la différenciait passable-ment des jeans-gaminet que portaient les autres pour la plupart. « Mon frère m'a dit que… » trottait dans la tête de Fabienne. Son frère avait lu l'annonce dans *L'Envolée*, sans aucun doute.

Elle feuilleta de nouveau le curriculum vitæ de la jeune femme. Éléonore C. Marques. Elle se rappela avoir cherché le dossier de cette fille dans le classeur. Elle avait cherché dans les M, mais n'avait pas pensé un instant que le dossier pût être classé sous la lettre C. Elle ne pouvait oublier que Pierre-André n'avait pas répondu lorsqu'elle lui avait demandé qui était cette fille. Et Mélissa lui avait suggéré qu'Éléonore pouvait être une ancienne flamme tenace.

— Vous semblez très proche de votre frère.

— Mon Dieu! Il a tant fait pour moi, vous ne pouvez pas l'imaginer. Jusqu'à me fournir la liste des cliniques qui cherchent une bonne secrétaire avec de l'expérience. Je ne serais pas grand-chose sans lui.

— Le salaire vous convient-il? demanda Fabienne qui voulait rompre le silence.

— Oui, sinon je ne serais pas venue vous rencontrer, ajouta Éléonore.

— Mariée?

— Je l'étais. Avec un psychopathe. Mon… euh… mon frère m'a sorti de ses griffes. Un Chilien de quinze ans de plus que moi.

Éléonore releva la manche de son veston.

— C'est lui qui m'a donné un coup de couteau.

Un ton de confidence venait de s'installer entre les deux femmes. Fabienne fut tout à coup séduite par cette candidate qui lui paraissait exceptionnelle. Une fille avec une telle expérience de la vie ne pouvait pas manquer d'empathie envers les patients. Elle rangea la paperasse dans le dossier, croisa les bras sur son pupitre, fixa résolument Éléonore dans les yeux.

— Bien. Je vous attendrai lundi matin à 8 heures pour tout vous expliquer, et pour vous présenter Jeanne Beaulieu, avec qui vous devrez travailler. Il y a deux petits restos sur la rue Principale, un de cuisine italienne, l'autre asiatique. Nous avons également une salle de réunion où le personnel peut manger. Frigo, micro-ondes, vaisselle et ustensiles. Il y a deux cafetières : une dans cette salle et une autre à la réception. La clinique paye le café, le sucre...

Éléonore écoutait à demi.

— Je sais tout ça, merci d'être aussi gentille, Fabienne. Nous deviendrons des inséparables, vous verrez.

Fabienne fut surprise de cette familiarité qui pouvait aussi être une qualité gagnante. Éléonore n'avait que cinq ans de plus qu'elle. Et Fabienne avait toujours été impressionnée par les tignasses rousses qui montraient une grande assurance.

Après le départ d'Éléonore, Fabienne mit les CV des autres candidates dans le dossier DIVERS, mais conserva celui d'Éléonore pour le relire, tellement elle avait l'impression que c'était trop beau. Trop beau de trouver une fille aussi exceptionnelle. En même temps, elle se mit à penser à Pierre-André. Avait-elle fait entrer le loup dans la bergerie? Son amoureux allait-il apprécier son geste ou encore succomberait-il à l'emprise d'Éléonore C. Marques et à sa chevelure de cuivre? Elle se dit qu'elle n'avait pas eu le choix: il fallait une bonne secrétaire pour lundi. Et, en tant que responsable de l'embauche des employés, elle ne voulait pas être traitée d'incompétente. Il allait leur falloir une classeuse de dossier et une autre réceptionniste de fin de semaine. Elle posa ses mains sur son front, ferma les yeux, mais son geste fut interrompu par le son de la porte qui s'ouvrait. Pierre-André, plus souriant que d'habitude, referma la porte et la verrouilla. Il se rua sur Fabienne et l'embrassa avec fougue.

— Je t'aime, toi! dit-il entre deux frissons de désir.

— Tu as fini tard.

— Je ne voulais pas te manquer. Attendre encore deux jours...

Sans autre préambule, il éteignit la lumière, prit Fabienne et la souleva pour la conduire sur la table d'examen dans l'autre pièce. Il entreprit de retirer lui-même la jupe de la jeune femme, qui se débarrassa rapidement de son slip. Dans un froufrou de vêtements qui s'affalaient sur le parquet, elle posa ses pieds sur les étriers au bout de la table d'examen et supplia Pierre-André de la prendre sans attendre. Il laissa tomber son pantalon et, sans même explorer les lieux, pénétra Fabienne de tout son membre, sans gel, sans condom, sans fermer les yeux. Il poussa très fort sous les cris de joie de sa compagne qui participait avec force à leurs ébats. Ils ne mirent que trois ou quatre minutes pour assouvir leur désir. Fabienne se mit à rire.

— Aurais-tu seulement imaginé faire l'amour à une femme sur une table d'examen? Ne réponds pas, espèce de pervers! ajouta-t-elle.

— Tu crois que les docteurs ne pensent pas à ça souvent?

— Même quand c'est l'examen d'une grosse vieille mémé?

— Ça, ce serait pervers. Mais quand c'est une belle fille à la peau de lait et qui sent le Chanel…

— Moi, jamais je n'imagine que le pénis d'un patient se dresse comme un cobra. Les filles ne pensent pas toujours à ça.

— Je n'ai jamais cru que les gynécologues mâles puissent être des enfants de chœur.

— Tu n'as qu'à venir m'examiner plus souvent. J'adore.

Ils allaient se rhabiller promptement quand le désir les envahit de nouveau. Cette fois, Pierre-André, au bord de l'éclatement, saisit Fabienne et la prit sur le bureau, en pleine noirceur, avec pour toute lueur le clignotant vert de l'ordinateur. Il jeta par terre quelques papiers qui traînaient sur le bureau et, sans retenue, se mit à geindre au rythme accéléré de leurs souffles, en prenant bien son temps. Après son propre orgasme, il se retira puis se mit à caresser sa partenaire en appuyant comme il fallait pour provoquer un orgasme qui n'avait jamais autant procuré de bonheur à Fabienne. À tel point qu'elle se demanda ce qu'elle ferait sans cette satisfaction grandiose. Il posa ses lèvres dans son cou et murmura :

— Merci, Fab. Merci pour ma sœur.

Elle se détacha de lui tout en lui mordillant le doigt. Les images de la réalité mirent beaucoup de temps à venir s'aligner devant ses yeux.

— Ta … ta sœur ?

— Éléonore est ma sœur. Tu ne l'avais pas compris ?

— Éléonore Marques est ta sœur ? Mais comment est-ce…

— Éléonore Caron Marques. Bientôt, elle pourra retirer le nom de son maudit mari… Les gouvernements sont longs à réagir.

Fabienne se releva et, tout en reboutonnant son chemisier, se mit à rire comme une démente. Pierre-André la suivit même s'il ne comprenait pas ce qu'il y avait de si drôle.

— Elle a failli ne jamais avoir de travail, ta sœur !

— Mais pourquoi ? Éléonore est une très bonne secrétaire. Elle a perdu son poste à cause d'une amourette sans avenir. Un des médecins a trompé sa femme avec ma sœur et elle, elle a trompé son mari. La femme du gars a appelé Ronaldo Marques qui, lui, s'est vengé. Un fou furieux.

— La trahison est impossible à accepter. Je… je croyais qu'elle était ou avait été ta maîtresse. Quand je l'ai vue la première fois dans ton bureau, tu n'as rien voulu me dire. J'ai essayé de savoir et tu t'es refermé comme une huître.

— Je ne voulais pas l'empêcher de remporter ton concours de la parfaite secrétaire, mon amour.

Fabienne sentit un frisson monter. Jamais encore il ne l'avait appelée « mon amour ». Elle se blottit contre lui.

— Moi aussi, je serais capable de me venger si tu me trompais. Je déteste les cachoteries. Tu aurais quand même dû me dire qu'elle était ta sœur.

— Pourquoi ça, docteure Lanthier ?

— Parce que je ne lui aurais pas fait passer un interrogatoire. Je l'aurais embauchée tout de suite.

— Et qu'auraient dit les autres ? Non, il fallait que tu engages ma sœur sans connaître son lien avec moi. Sinon, tu aurais été accusée de corruption. On aurait dit que je couchais avec toi pour que ma sœur ait un emploi.

— Arrête ! cria-t-elle avant de se remettre à rire.

Soudain, on frappa discrètement à la porte. Comme deux jeunes délinquants, Fabienne et Pierre-André se turent, réprimant leurs fous rires. Fabienne releva les épaules, vérifia les boutons de son chemisier, puis entrouvrit. C'était Toni Cavalleri, l'homme de ménage.

— Ah, c'est vous, docteure ! Tout le monde est parti, puis j'ai entendu du bruit. Ça m'a intrigué. J'ai cru que deux chats se battaient à l'arrière de la clinique. Ou des jeunes qui voulaient entrer par effraction. Excusez-moi. Vous partez bientôt ? Je vais nettoyer votre bureau dès que vous serez partie.

Pierre-André se retint de sortir la tête et de crier : « Combien y avait-il de voitures dans le stationnement quand vous êtes arrivé, triple idiot ? »

— *Deux chats qui se battaient.* Tu vois comment on nous juge, mon gros matou tigré ! lança Fabienne en se remettant à rigoler.

Ce soir-là, Fabienne Lanthier sut qu'elle était résolument amoureuse. Pierre-André Caron entrevoyait son avenir avec une grande sérénité. Et quelque part, sous la pâleur de la lune, une fille aux cheveux roux remercia la vie de lui avoir fait rencontrer la docteure Fabienne Lanthier.

12.

Les médias nationaux ne mirent que quelques jours à s'emparer de la nouvelle de la poursuite intentée par Claude Lamarre contre le docteur Mathieu Crevier de la clinique Valrose.

« Un médecin poursuivi pour avoir provoqué une maladie grave chez un jeune garçon », titrait le *Journal du Matin*, le quotidien le plus populaire. Dans tous les restaurants qui offraient ce journal à la clientèle attablée devant un café et un beignet, on pouvait sentir l'horreur et deviner les critiques acerbes.

— On n'est même plus en sécurité dans les cliniques! tonnait celui-ci en s'essuyant la bouche du revers de sa manche.

— Il est temps que le gouvernement mette ses culottes! appuyait celui-là, la main sur le cœur.

— Pauvre enfant, disait cette femme.

— J'espère qu'il ira en prison! aboyait sa compagne.

— Tu es bête! Un médecin a tué ses enfants et il est libre après quelques années en tôle! Tu ne vas pas t'imaginer qu'on va condamner celui-là pour une erreur médicale. Selon moi, personne ne peut rendre un enfant autiste !

Mathieu Crevier était allé ce matin-là dans l'un de ces nombreux restaurants de petits déjeuners très populaires. Il fut saisi par toutes ces paires d'yeux vissées sur le *Journal du Matin* et reconnut Claude Lamarre tenant Félix dans ses bras, le visage traversé d'une infinie tristesse, pour le photographe, bien entendu, songea-t-il. Il se croyait rendu en enfer. Lui qui se jugeait bon diagnosticien, patient, poli, empathique comme personne, ne pouvait pas en accepter davantage. Il avala une dernière gorgée de café, puis sortit du restaurant, le cœur en charpie. Il connaissait bien ces tremblements causés par l'angoisse extrême, paradoxalement reconnus chez quelques-uns de ses patients. Il tenta de contrôler ses tremblements en posant ses paumes sur ses cuisses, en respirant le plus lentement possible, mettant en pratique la technique de cohérence cardiaque par la respiration profonde qu'il enseignait à ses patients stressés. Rien n'y faisait.

Sa vie avec Stéphanie se passait de commentaires. Une distance abyssale s'était creusée depuis la naissance d'Hubert, que sa femme avait du mal à confier à la garderie. Culpabilité causée par la mère de Stéphanie qui, *à son époque, avait élevé elle-même ses enfants au lieu de les confier à une autre femme qui devait elle-même confier ses enfants à une gardienne pour s'occuper des enfants des autres*, serinait-elle chaque fois qu'elle en avait l'occasion. Mathieu la trouvait victime d'un atavisme indécrottable.

La tension était trop importante. Il téléphona à Valrose et dit à Jeanne d'annuler tous ses rendez-vous de la journée et du lendemain. Jeanne soupira, puisque tous ces appels représentaient une journée de travail en plus à la réception. Elle allait confier les appels et les prises de rendez-vous à Éléonore, qui se ferait un plaisir de la remplacer. Du moins pour les appels urgents aux patients qui avaient leur rendez-vous en matinée.

— Quelle idée d'annuler si tard ! Il est bizarre, le docteur Crevier depuis quelque temps, tu ne trouves pas ? demanda Jeanne à Éléonore, sachant pourtant que celle-ci ne connaissait pas encore ses patrons. On dirait qu'ils ne réfléchissent pas assez, des fois. Ils devraient ne faire du bureau que le soir. Les travailleurs ne peuvent pas toujours consulter le jour.

— Jeanne, lis plutôt tout ce qui se passe avec l'affaire du père du petit Félix. Dans le *Journal du Matin*, c'est pas rien. Tu aurais annulé tes patients toi aussi, tu ne penses pas ?

— Oui, mais il aurait dû le dire hier. Ça m'aurait donné le temps de les appeler en soirée.

— Je vais en prendre la moitié. Je ferai la facturation en temps supplémentaire, offrit Éléonore.

Jeanne aimait déjà cette fille. Elle était élégante, généreuse et, surtout, elle connaissait le milieu médical. Éléonore lui avait confié qu'elle n'aimait pas beaucoup le docteur Rached, le trouvant trop expéditif et surtout insolent avec certaines patientes, comme si cet homme était mal à l'aise avec sa spécialité. Il se vantait d'être le seul à pouvoir *mettre la main dans les affaires personnelles des musulmanes*, blague douteuse, trouvait Éléonore. Elle détestait les blagues du docteur Rached qui consistaient à humilier ses patientes. Cependant, elle reconnaissait ses qualités d'obstétricien, lui qui n'avait jamais perdu un seul bébé pendant ses huit ans à accoucher des parturientes. La réputation du gynécologue était sans taches. Éléonore n'avait qu'un pressentiment, comme elle en avait souvent. Une sorte d'intuition qui avait toujours été sa meilleure conseillère.

Son lien de parenté avec le docteur Pierre-André Caron n'influençait aucunement son travail. Tous les deux se saluaient gentiment, mais leur relation, quoique très fraternelle, ne dérangeait pas les autres patrons. Ils cultivaient fidèlement la discrétion. Jeanne les sentait complices sans que cela nuise à sa relation avec Éléonore. Jeanne aimait bien le docteur Caron et s'arrangeait pour que jamais Éléonore ne fasse l'objet de favoritisme. William Frenette était même jaloux de la relation de

Jeanne avec les médecins et le reste du personnel qui travaillait le jour. Dès 16 heures, le vendredi par exemple, il n'y avait souvent que le médecin de garde à l'urgence et l'infirmière Carole Pedding qui, à l'occasion, travaillait auprès d'Ayoub Rached. William, qui aimait discuter et rigoler, se trouvait fort seul à la réception du soir. Si un nouveau poste à la réception de jour était créé, il serait le premier à sauter dessus.

& & &

Mathieu Crevier revint à la maison. Aussitôt après s'être servi un bourbon pour geler son angoisse, il entendit que quelqu'un l'appelait sur son portable. Au son des sanglots dans la voix de Stéphanie, il pensa mourir. Elle lui annonçait qu'après l'avoir appelée au sujet du petit Hubert, la gardienne avait téléphoné à Urgence-Santé, qui n'avait mis que sept minutes à se pointer. L'ambulancier avait rapidement diagnostiqué une méningo-encéphalite ou une méningite virale. La gardienne attesta que l'enfant s'était plaint de violents maux de tête. Il faisait de la fièvre et accusait une raideur de la nuque.

— Il est où, en ce moment?

— À l'hôpital. Je suis là, avec lui. J'ai peur. Il pourrait être transféré à l'Institut pour enfants. Mathieu, viens vite ! On est en train de lui faire un scan. Hubert n'arrête pas de me demander. Il crie tellement que ça me crève le cœur. Dépêche-toi. À toi, ils ne vont pas raconter n'importe quoi.

Le docteur Crevier songea qu'il ne manquait plus que ça ! S'il fallait qu'Hubert ne passe pas au travers ! Le médecin connaissait tellement l'étiologie de cette maladie, mais il n'ignorait pas non plus que la plupart des enfants s'en sortaient sans trop de séquelles. Hélas, il savait aussi que certains pouvaient en mourir. Cela dépendait de l'origine de la méningite. Ses notes de cours voletaient devant ses yeux. Il avait mis tant d'heures à mémoriser les causes de la méningite virale plus commune qu'il en avait oublié le sérieux de la méningite microbienne, moins courante, mais plus dévastatrice. Pourvu qu'Hubert s'en sorte !

Quand il arriva à l'hôpital, on reconnut tout de suite sa crédibilité en tant qu'omnipraticien après que Stéphanie eut raconté à tout le personnel que son mari était le docteur Crevier de la clinique Valrose. L'urgentologue ne paraissait pas très inquiet mais, malgré les cris de l'enfant, ordonna un bilan sanguin.

— Il va en garderie ?

— Comme tous les enfants, répondit Mathieu avec détermination.

— A-t-il eu une otite ou une amygdalite dernièrement ?

— Pas que je sache, déclara Stéphanie en cherchant l'approbation de son conjoint.

— On ne le sait pas toujours. Les otites de l'oreille externe peuvent passer inaperçues, ça dépend des enfants. Depuis que les enfants sont en garderie, ils attrapent neuf otites ou rhumes ou amygdalites chaque année. Ils morvent à l'année! ajouta l'urgentologue en riant, ce qui eut l'heur de détendre un peu l'atmosphère. C'est un choix de société. Avant, on élevait les enfants à la maison, sans contact avec les petits amis avant d'entrer à l'école, et ils avaient le temps de développer un sacré système immunitaire! Les tout-petits bavent, s'échangent les jouets, postillonnent, mangent avec la même cuillère. C'est tout un chantier pour les virus!

Stéphanie était surprise que son mari ne participe pas à la conversation. Il restait muet comme s'il comprenait que c'était ce qui pouvait arriver de pire à son petit garçon.

— On peut le voir?

— Mais oui. Il a besoin de vous voir. On le ramène de l'imagerie médicale. Sarah a beaucoup d'expérience avec les enfants. Tantôt, avant de se rendre au scan, il a appuyé la tête sur son épaule. Un beau petit garçon.

L'urgentologue changea de sujet.

— Valrose, ça va à votre goût?

Mathieu sortit de sa léthargie.

— Ça va trop bien. On a presque doublé notre personnel. Déjà plus de deux mille cinq cents patients inscrits. Et ils ressentent beaucoup d'incertitudes, comme si on les avait négligés depuis longtemps. Ils faisaient cinquante kilomètres pour se rendre au village voisin et ne pouvaient être vus en urgence qu'au centre hospitalier. Quand les gens nous ont vus arriver, je crois qu'ils ont été très rassurés. Nous sommes cinq omnipraticiens, deux spécialistes et six employés. Et le maire Gagnon soutenait que sa ville n'avait pas besoin d'une clinique!

L'infirmière arrivait avec Hubert dans les bras. Il se tenait accroché à elle comme un petit chimpanzé à sa mère. Stéphanie sauta sur son bébé et le serra dans ses bras en pleurant.

— Mon bébé, pauvre petit pou, tu vas bien?

Elle aperçut le sparadrap qui traversait son petit bras potelé et se mit à pleurer de plus belle. À ses yeux, on avait blessé son enfant, on l'avait attaché à une table d'examen, on l'avait transpercé de grosses aiguilles et elle n'était pas avec lui pour le consoler.

— Heureusement que c'est toujours pire pour les parents que pour nous. On est les gros méchants qui font mal à leur enfant. Mais cette fois, bonne nouvelle: Hubert n'a pas la méningite. Juste un petit virus… de garderie. Il y a beaucoup de cas ces temps-ci. Docteur Crevier, vous devez en voir tous les jours de ces petites maladies à streptocoques?

— Il y en a plus que l'an passé, effectivement.

— Alors, vous pouvez repartir avec votre petit trésor. Il est vraiment beau, ce petit bonhomme, dit l'urgentologue en se tournant pour saisir le dossier du prochain patient que lui tendait la gentille Sarah.

Stéphanie se pressa contre Mathieu en minaudant. Ce mariage allait-il tenir encore longtemps ? pensa l'infirmière. Mathieu entoura sa femme de son bras et embrassa Hubert qui, du coup, avait tout oublié. Sauf Sarah, qui agitait la main en sa direction.

— Tu as annulé ton bureau pour ton fils ! s'exclama Stéphanie. Je suis tellement heureuse de cela, Mat !

Il ne voulait surtout pas lui révéler la véritable raison de son absence de la clinique. Sûrement qu'elle n'avait pas lu le *Journal du Matin*, ni les autres quotidiens qui croyaient tenir le scandale du siècle. Un médecin poursuivi pour avoir provoqué une maladie grave chez un jeune garçon. Un tel article aurait pu faire mourir une mauviette, pensa-t-il. Il préféra retourner chez lui avec sa famille et passer la soirée avec Stéphanie et Hubert, dans la chaleur de leur foyer. Allait-il pouvoir retrouver le bonheur tel qu'il l'avait connu quand Stéphanie portait l'enfant et que lui-même passait ses soirées à étudier. Que s'était-il donc produit ?

Le répondeur téléphonique recelait une douzaine de messages. La plupart provenaient de recherchistes de la radio et de la télévision qui invitaient Mathieu à venir expliquer son point de vue. Jusqu'à l'animateur Lévesque qui avait appelé en personne pour son émission du soir même. La soupe était chaude. Et lui grelottait.

Hubert couché, Mathieu et Stéphanie tentèrent de retrouver leur libido étouffée par un nuage sombre qu'ils n'arrivaient pas à expliquer.

13.

Benoît Raymond noyait sa solitude dans l'alcool. C'était pire qu'avant. À présent, il buvait même dans son bureau lorsque le dernier patient avait quitté la clinique. Ce soir-là, William reçut un appel du pharmacien Danh N'Guyen. En l'absence du docteur Crevier, il passa l'appel au docteur Raymond. Une patiente du nom de Mariette Raby avait été transportée aux urgences du centre hospitalier et était décédée d'une intoxication médicamenteuse. Son médecin s'était trompé dans la posologie. Comme mademoiselle Raby était gravement asthmatique et qu'elle souffrait d'insuffisance cardiaque, sans compter un tas de problèmes d'ordre psychosomatique, il avait été difficile de prévoir qu'elle ne supporterait pas ce médicament.

Le docteur Crevier avait assez d'ennuis comme ça. Il n'était pas coupable des accusations portées contre lui par Claude Lamarre et ne comprenait pas pourquoi personne ne s'avançait pour le défendre. Tous les médecins savaient que l'Asperger ne s'attrapait pas. Qu'il ne n'était pas provoqué par un virus ou un vaccin. Mais comme tout le monde médical nageait dans la purée de pois au sujet de l'autisme et de l'Asperger et que les éducateurs et les pédagogues n'en savaient pas plus long sur les moyens à utiliser pour améliorer la condition des enfants autistes, personne ne se prononçait.

Benoît Raymond décida qu'il allait, lui, briser le silence et ainsi devenir le superman qui allait sauver son camarade. Mais dans le cas d'une erreur grave de dosage du médicament qui avait tué mademoiselle Raby, il ne savait que faire. Pourquoi ce pharmacien, qui avait l'habitude de mettre son nez dans les affaires des autres, qui offrait sans gêne des médicaments génériques sans la permission des médecins et qui leur donnait des avis pour leur parler de l'interaction de deux pilules, pourquoi n'avait-il pas, cette fois, averti Mathieu Crevier de son erreur ?

Mademoiselle Raby n'avait aucun héritier. Pas de mari, pas d'enfants. Ni neveux ni nièces. Elle n'avait qu'un frère qui habitait l'île de Vancouver et qui avait perdu son français au point de ne plus parler à sa sœur unique. La demoiselle souffrait surtout d'hypocondrie. Elle avait toutes les maladies et la seule attention qui lui était portée lui venait de son médecin de famille. Mathieu avait souvent raconté qu'il aurait bien aimé se passer de mademoiselle Raby, mais le code de déontologie sur lequel se basait le Collège des médecins empêchait un praticien de refuser un patient à moins que celui-ci se soit montré très méchant envers lui ou, au contraire, trop gentil.

Le docteur Raymond se versa un verre de scotch.

— Dahn, tu ne peux pas accuser Mathieu. Il a assez de problèmes comme ça. Ta pharmacienne est aussi coupable que lui de n'avoir rien vu. Deux fois trop de théophylline, ce n'est pas rien. Et mademoiselle Raby a suivi la posologie qui lui avait été prescrite.

— C'est Crevier qui a rédigé l'ordonnance.

— Vous, les pharmaciens, vous vous mêlez de tout ce qui ne vous regarde pas et tu le sais! Mais quand un docteur fait la moindre erreur, tu l'accuses pour te disculper. Mathieu est un très bon médecin. Il a écrit deux comprimés de 600 mg et celle qui a rempli la prescription n'a jamais réalisé que c'était deux fois trop. Penses-y. Le jour où ça t'arrivera, personne de notre clinique n'ira t'accuser. Sur dix mille ordonnances bien exécutées, il peut y en avoir une qui est mauvaise. Avant, les pharmacies vendaient des cigarettes. Jamais on ne les a accusées d'avoir fait mourir des centaines de leurs clients du cancer du poumon.

— Justement, on a accusé les fabricants de tabac!

— Alors, accuse la compagnie Tava. Pas Mathieu Crevier, ciboire!

Le silence s'installa entre N'Guyen et Benoît Raymond que le scotch commençait à déranger.

— Quelqu'un a demandé une autopsie ?

— Non, elle n'a qu'un frère en Colombie-Britannique.

— Comment sais-tu ça ?

— Mademoiselle Raby venait très souvent à la pharmacie. C'était sa seule sortie de la semaine. Ses pilules, ses billets de loterie, ses bas résille. Et elle pouvait rester quinze minutes à discuter au comptoir des officines. Pauvre mademoiselle Raby. C'est quand même dommage.

— Elle n'avait aucune qualité de vie.

— Ça n'excuse pas que... que nous sommes responsables de sa mort.

— Que ça nous serve de leçon, Danh. Mais tu n'accuseras pas le docteur Crevier !

Danh N'Guyen tenait aux bonnes relations avec les médecins de la clinique Valrose puisque d'eux dépendait la survie de son commerce, une entreprise très lucrative. Le docteur Raymond avait raison. Accuser Mathieu Crevier aurait été injuste. Même quand les médecins savent qu'un de leurs collègues a fait une erreur médicale, il y a des chances qu'ils gardent le silence. Benoît Raymond repoussait froidement les problèmes de conscience. Il savait qu'il y a pire que faire une erreur de posologie. Il y a tous ces patients qui meurent les week-ends du fait qu'il n'y a pas de scan, pas de résonnance magnétique dans les urgences les fins de semaine parce que les directeurs doivent couper du personnel, faute d'argent. Lui-même avait tenté de se battre contre le système pour sauver la vie de ses patients et s'était buté contre les effets de la pauvreté des hôpitaux. Impossible parfois d'avoir accès aux ressources. Des mois d'attente. Les patients ne pouvaient pas imaginer combien cela enrageait les médecins. Et toute cette collusion entre les spécialistes qui entretenaient des liens avec certains omnipraticiens. Fabienne Lanthier avait une amie dermatologue, et jamais ses patients à elle n'attendaient pour consulter un spécialiste. Benoît Raymond, lui, n'arrivait pas à établir ces liens indispensables pour que ses patients soient vus en priorité. Pas de place! Pas de lit!

Le docteur Raymond savait de quoi il parlait. Quelques mois auparavant, une de ses jeunes patientes avait reçu un diagnostic de tumeur au cerveau. À force de soutenir ses parents, Benoît avait fini par craquer. Il s'était installé entre lui et les parents de Sonia Patenaude une sorte d'amitié qui allait au-delà de la relation habituelle entre un médecin et ses patients. Il leur avait donné son numéro de téléphone personnel et allait chaque semaine rendre visite aux Patenaude pour examiner Sonia. Il avait demandé de nombreuses fois des consultations auprès du célèbre oncologue pour les enfants, le docteur Richard Thouin, en qui il avait entièrement confiance. Sonia n'arrivait pas à obtenir un rendez-vous.

Elle souffrait et des métastases étaient apparues. À bout de patience, Benoît Raymond s'était rendu à la clinique d'oncologie de l'hôpital pour prendre lui-même rendez-vous pour sa jeune patiente. Rien à faire. Le docteur Raymond ne pensait qu'à la guérison de la petite fille. La secrétaire du docteur Thouin était vraiment navrée. Son patron n'avait pas de case libre dans son horaire pour voir l'enfant. *La semaine prochaine. La semaine prochaine.* Au bout de plusieurs semaines, alors que le docteur Raymond était excédé et qu'il se préparait à appeler un journaliste d'enquêtes, Sonia fut convoquée pour rencontrer le docteur Thouin. À la tomodensito-métrie, la tumeur avait doublé de volume. Sonia devenait aveugle et ses souffrances s'intensifiaient. Hospitalisée, Sonia Patenaude mourut un soir d'hiver, pendant que Marie-Mai, son interprète préférée, chantait à la télévision. Un mois après l'ultime demande du docteur Raymond auprès du spécialiste. Benoît Raymond fut désormais persuadé que les administrateurs d'hôpitaux étaient satisfaits quand les cancéreux mouraient. Ils cédaient leur place aux autres et coûtaient moins cher à l'administration. Lui qui s'était cru guéri de son alcoolisme, le système de santé était venu à bout de la sienne.

Depuis des mois, le fantôme de la petite Sonia le hantait. Il avait l'impression de n'avoir rien pu faire et que c'était une vie perdue. Les parents Patenaude avaient cessé de venir le consulter. La douleur était trop forte. Ils avaient perdu leur seule enfant et ils étaient en train de couler, incapables de se soutenir mutuellement. Le système, tout le monde était au courant qu'il était pourri. Personne ne savait quoi faire pour l'améliorer.

Benoît Raymond trouvait dans l'alcool un certain soulagement, une évasion temporaire, un apaisement de ses souffrances. Il avait toujours peur que quelqu'un le débusque. Il cachait ses bouteilles dans le haut de son armoire, là où Toni, l'homme de ménage, ne les trouverait pas. Il ne dépassait jamais une certaine limite qui l'aurait empêché de conduire pour rentrer chez lui. Les policiers se plaisaient à faire souffler les médecins dans l'alcootest et à leur distribuer des contraventions salées. Une sorte de domination sur un membre du conseil municipal, un avocat ou un médecin.

Le docteur Raymond était un excellent praticien qui avait tout particulièrement une grande capacité d'écoute. C'est ce qui plaisait aux femmes. Elles se succédaient dans son cabinet pour étaler leurs désespoirs, pour s'épancher, pour quêter de la consolation. Le médecin de l'époque de leurs mères n'écoutait pas les femmes, ne comprenait pas leurs chagrins. Il les renvoyait avec une petite pilule rouge qu'il tirait de ses propres officines. À la clinique Valrose, ces jeunes travailleurs de la santé étaient à l'affût de tous les tiraillements de leurs patients. On leur avait enseigné qu'ils devaient écouter et soigner aussi l'esprit. Benoît Raymond excellait dans les soins de l'âme. Davantage que ses deux consœurs. En fait, Mélissa était plutôt froide et préférait soigner les enfants, tandis que Fabienne était la meilleure pour comprendre l'humain au cœur même de sa communauté. Elle voyait les familles entières et louvoyait entre les liens qui unissaient les différents membres, ce qui lui permettait de mieux comprendre chacun dans son ensemble. Il se mit à rire en songeant que Fabienne Lanthier avait été sa petite amie au cours de leur première année de médecine. Il ne s'était jamais passé quoi que ce soit entre eux. Fabienne était trop prude. Même quand le professeur d'anatomie expliquait le système reproducteur chez l'homme à l'aide de l'appareil génital d'un macchabée qui avait offert son corps à la science. Sandwich à la main, Fabienne tâtait du scrotum comme s'il s'agissait d'un kiwi trop mûr, sans jamais y voir un incitatif à la sexualité. Benoît avait gagé avec Mathieu Crevier qu'il allait déflorer Fabienne avant le dernier semestre. Il avait perdu.

Mélissa était très enrobée et n'avait jamais tenté qui que ce soit à la Faculté. Benoît avait cependant toujours pensé que les petites boulottes étaient des compagnes idéales, étant donné que leur caractère en faisait d'excellentes amoureuses et de grandes passion- nées. Et sûrement des mères parfaites. Mélissa O'Brien avait eu une aventure de six mois avec un prof de gynécologie de l'hôpital Notre-Dame et cela avait provoqué un tsunami : quand elle avait mis fin à l'idylle, elle avait soudainement coulé la matière avant d'aller se plaindre au recteur de l'université. Le docteur Millette avait cessé d'enseigner. Et Mélissa avait fini par épouser son Pierre, un gros toutou sans malice. Ils ne voulaient pas d'enfants.

Les images se succédaient à un rythme qui suivait les effluves âcres du scotch. Il était 21 heures et il ne restait que la voiture de Mathieu Crevier dans le stationnement. Il lui arrivait de quitter la clinique assez tard. Benoît soupçonnait que son collègue préférait son cabinet à l'humeur massacrante de Stéphanie. À vingt-six ans, la vie pouvait donner de cruelles leçons.

Il frappa à la porte du cabinet de Mathieu Crevier en se disant que son ami ne se rendrait pas compte de son haleine alcoolisée. Et puis il s'en foutait un peu. Dans les premières années de leur médecine, Mathieu buvait comme une éponge chaque fois que l'occasion se présentait. Ils se rendaient dans un bar tous les vendredis après les cours et finissaient en titubant jusqu'à l'abri d'autobus puis à la station de métro.

— Tu pars tard. Ta femme ne doit pas être contente. Comment va le petit Hubert ?

— Stéphanie s'est habituée à mon horaire. Hubert va très bien. Et toi ? Tu bois dans ton bureau, mon Ben ?

— Pas tant que ça. Jamais entre deux patients. Je prends un petit scotch après le dernier. Ça me relaxe.

— Pourvu que tu restes allumé.

Benoît se dit que le temps était propice aux confidences. Il voulait parler à Mathieu de mademoiselle Raby et de cette erreur de posologie. Et du régime personnel de protection qu'il avait servi à Danh N'Guyen en faveur de son collègue.

— Tu as su que Mariette Raby est… enfin… qu'elle est morte ?

— Quoi ?

— Personne ne t'a appelé ? Elle est morte il y a une semaine environ.

— Ma première patiente, tu imagines ! Elle est morte de quoi ?

— Intoxication médicamenteuse qui a causé un arrêt respiratoire.

— Qui te l'a dit ? C'est quand même bizarre qu'on n'ait pas informé son médecin traitant.

— C'est le pharmacien qui m'a appelé. Parce qu'il trouvait que tu en as assez sur les épaules en ce moment, mentit Benoît Raymond.

— Pourquoi s'inquiète-t-il pour moi ? Des patients, j'en ai déjà perdu et je vais en perdre encore. Qu'est-ce que c'est que cette histoire ?

— Tu as fait une erreur de posologie : 1 200 mg au lieu de 600 mg.

— De théophylline ? Tu es sérieux ? J'ai mis deux fois 600 mg ? Pis chez N'Guyen, personne n'a remarqué ça ?

— On va couvrir l'affaire. J'ai parlé à N'Guyen. Pas besoin de rendre la chose publique. Personne ne sera au courant. Tu as juste à faire attention. Je sais que tu as une pratique très active et que le temps est ton pire ennemi. T'en fais pas. On n'en parlera plus.

Mathieu entra dans une grande colère. Il se leva et se mit à arpenter son cabinet de long en large.

— Mais tu me prends pour qui ? Je vais passer le reste de ma vie à m'en vouloir. Le sort s'acharne sur moi, Ben ! Pourquoi ça m'arrive toujours à moi ? L'affaire de l'Asperger, celle de mademoiselle Raby et ma relation avec Stéphanie qui s'étiole. Je vais avoir besoin de psychotropes et j'espère en baptême que mon docteur va me prescrire dix fois la dose !

Benoît regretta d'être venu parler à son collègue. Qu'avait-il donc fait ? D'où lui venait ce besoin irrépressible de faire la démonstration de sa bienveillance ? En réalité, il aurait pu ne jamais parler de cette erreur de médication. Mariette Raby était morte et enterrée et personne, pas même son frère, n'allait la regretter. Une pauvre bénéficiaire de l'aide sociale qui avait tout reçu de cette société providence, pensa le docteur Raymond. Et Danh N'Guyen avait promis d'oublier l'affaire, puisque le docteur Raymond avait mis en cause sa responsabilité. Il n'avait pas, lui non plus, vérifié la posologie chez une patiente connue à la pharmacie.

— Oublie ça, Mathieu. C'est l'alcool. Je vais arrêter ça. Pour le petit Félix Lamarre, tu as rencontré l'avocat de l'Association canadienne de protection médicale?

— Oui. Il prépare le dossier. Jamais je n'aurais pu imaginer pareille bouffonnerie. Les gens sont complètement inconscients. Poursuivre un médecin qui aurait «transmis» le syndrome d'Asperger en faisant une suture à un enfant! Avec Internet, les gens reçoivent tellement d'informations en même temps qu'ils deviennent fous.

— Oublie tout ça. Et appelle-moi si tu as besoin de quelque chose. Je serai là.

Benoît Raymond quitta la clinique, la conscience meurtrie et le cœur chaviré.

14.

L'avocat de l'Association canadienne de protection médicale était formel : jamais Claude Lamarre ne remporterait la partie. Maître Dupuis avait réuni tous les témoignages des experts requis pour la défense du docteur Crevier, car il fallait quand même le représenter puisque le père du petit Félix, de son côté, avait engagé un avocat grâce aux nombreux dons offerts par la population. De fait, bien des gens s'étaient laissé berner par l'article de Prospère Bourgault et ceux, plus ou moins crédibles, des autres médias qui s'étaient emparés de l'histoire. Le docteur Crevier faisait confiance à maître Dupuis, mais il n'arrivait pas à garder son calme sous cette épée de Damoclès. L'époque était aux poursuites de tous genres et aussi, parfois, aux plus farfelues. Un voleur poursuivait sa victime parce que son Bull mastiff lui avait infligé une morsure au mollet le rendant paradoxalement inapte... à vaquer à ses activités. Un obèse poursuivait McDonald's parce que sa bouffe avait contribué à son embonpoint. Et quoi, encore ?

En même temps, il comprenait que les gens aient besoin de porter leurs causes devant le peuple pour les aider à atténuer leur culpabilité. La solidarité était une qualité exceptionnelle pour une société. Dans le cas de l'affaire Lamarre contre Crevier, c'est celui qui était poursuivi qui allait bénéficier de la solidarité du milieu médical. Claude Lamarre, dans sa grande naïveté, ne disait pas comme ses contemporains que, quoi qu'un patient revendique, c'est le médecin qui aura toujours raison. Lui, il était certain de gagner. Félix bénéficiait de l'aide d'une accompagnatrice embauchée par son père à fort prix pour l'aider à trouver des raisons de sortir de sa bulle très étanche. L'enfant l'appelait Marie quand il lui arrivait de rares fois de le faire. C'est alors que Marie croyait contribuer à l'amélioration de l'état de l'enfant. Le moindre pas la comblait de joie et elle faisait rapport à Claude Lamarre de toute amélioration. Car avec ces jeunes différents des autres, un mot, un geste, une attitude représentent autant de victoires sur leur triste réalité.

Depuis la fin de sa médecine, Mathieu avait acquis une forte expérience. Dans le cas de Félix, il n'avait rien à se reprocher, mais la cause le tenaillait; tant qu'il ne recevrait pas la lettre du Collège qui le blanchirait, il aurait l'impression d'avoir une pierre dans l'estomac. Quant à mademoiselle Raby, il vivait avec un remords terrible. Sa première erreur médicale. Il avait été sauvé par son bon ami Benoît Raymond. Mathieu se dit qu'il n'allait jamais le laisser tomber, ce bougre de Ben. Ce Benoît Raymond qu'il avait surnommé Biberon durant leurs études. Mais c'était longtemps auparavant. Chez les plus nantis, on passe rapidement d'ivrogne à connaisseur de bons scotchs ou de bons vins. Tout est une question de notoriété.

Mathieu devait désormais se préoccuper de son couple.

À l'urgence, ce jour-là, le docteur Crevier vit en après-midi et en soirée plus de soixante patients. À peu près une quarantaine de cas non urgents. Des otites, des gastro-entérites, des blessures mineures, des rhumes, aucune affection à traiter à l'urgence de Valrose. Il devenait évident que les hôpitaux étaient incapables d'assurer les soins de tous les patients et une clinique comme Valrose pouvait soulager l'urgence de l'hôpital en traitant une partie des cas mineurs. Mathieu Crevier comprenait que l'assurance-maladie ne pourrait pas suffire longtemps à absorber les frais de tous les cas traités à l'urgence. À la mère d'une petite bobinette de trois ans qui toussait comme une chaudière, il dit:

— Quand j'étais jeune, ma mère me frictionnait la poitrine avec du Vicks. Sa main chaude me rassurait et créait des liens qui avaient de l'avenir. On se gargarisait avec du sel et de l'eau, on appliquait du bleu de méthylène pour les maux de gorge, on saupoudrait du bicarbonate sur les brûlures, on utilisait des clous de girofle pour une rage de dents, de la savoyane pour les ulcères des gencives, un bas de laine pour les oreillons. Aujourd'hui, on court à l'urgence pour un bouton sur le nez. Les parents ne s'occupent plus seuls des petites maladies. Ils ont Internet pour leur foutre la trouille et les convaincre que leur progéniture a le cancer.

Il s'en mordit aussitôt la langue, mais la mère se mit à rire et lui dit :

— Vous avez tellement raison, docteur !

Mathieu aurait tant aimé que les autres patients aient pu entendre cette conversation, même s'il regrettait d'avoir tenu de tels propos. Il était bien conscient que sans tous ces actes médicaux qu'il posait, il n'aurait pas à payer autant d'impôts !

Justement, un agent du fisc lui avait laissé un message. Le docteur Crevier devait le rappeler sans faute et Jeanne Beaulieu avait les yeux au bout de leur cavité orbitaire en lui tendant le petit mémo. Il l'entendait penser : *Mon Dieu, si jeune et déjà dans les difficultés financières !* Une vraie mère, cette Jeanne !

Jeanne répondit au téléphone. C'était Stéphanie Latraverse, la conjointe du docteur Crevier. Une employée du restaurant où elle travaillait éprouvait de violents maux de tête depuis quelques semaines et Stéphanie sollicitait un rendez-vous avec un médecin de Valrose.

— Vous pouvez faire ça pour moi, Mme Beaulieu. Les cliniques sont pleines et j'ai la chance d'être mariée à un médecin. Elle peut se libérer en après-midi. Demain, peut-être, minaudait Stéphanie. Elle s'appelle Angela Lebraille.

— A-t-elle sa carte d'assurance-maladie ?

— Je suis sûre que oui.

— Je vais la placer entre deux patients du docteur O'Brien. À 10 h 45. Ça vous va ?

— Oh, que vous êtes gentille ! J'y pense, j'ai une bonne amie qui doit faire renouveler ses patches pour arrêter de fumer. Un rendez-vous la semaine prochaine, c'est possible ?

— Avec votre mari ?

— Euh, non… Essayez avec le nouveau. Pierre-André Caron. C'est mieux.

— J'ai la semaine prochaine, jeudi à 19 h 30. Y'a juste lui qui fait du bureau le soir. Une chance qu'il n'est pas marié. Le nom de votre amie ?

— Estelle Sirois.

— Parfait, c'est noté.

Jeanne se rappela que c'était la sixième fois que Stéphanie demandait un rendez-vous pour une de ses connaissances, ce qui lui parut bizarre. Mais cette jeune femme était très aimable. Et Jeanne, très conciliante. Les rendez-vous à la clinique médicale Valrose devenaient plus éloignés dans le temps, jusqu'à six semaines dans le cas du docteur Raymond. Quant à Mathieu Crevier, plusieurs rendez-vous avaient été annulés après les fausses allégations qu'avaient lancées les médias. Il avait ainsi un peu plus de temps pour essayer de remettre son navire à flot et son couple sur les rails.

Lorsque Mathieu entra dans la maison, son premier geste fut d'aller embrasser Hubert, qui dormait à poings fermés.

— Mat! Tu vas le réveiller!

Il ne se formalisa aucunement du commentaire, referma la porte de la chambre de son fils, puis revint auprès de Stéphanie pour l'embrasser et lui dire qu'il s'était ennuyé d'elle.

— Mathieu Crevier, c'est quelle date aujourd'hui? lança-t-elle, les yeux pleins de larmes.

— Euh... Le 3 mai.

— Tu as oublié que c'est ce jour-là qu'on a commencé à sortir ensemble! Tu n'oublies jamais la date du Super Bowl, par contre! En fais-tu, des efforts, pour nous deux ? Les patients, la clinique, c'est tout ce qui compte pour toi ! Est-ce que je te parle constamment du restaurant quand tu reviens du travail ? Mathieu, il faut qu'on parte en vacances tous les deux pour se retrouver. J'ai l'impression que rien d'autre ne t'intéresse que la maudite médecine.

— Stéphanie ! La médecine est ma maîtresse. Toi, tu es ma femme.

Il avait cru qu'elle comprendrait son humour. Stéphanie se leva et alla s'enfermer dans son petit bureau pour lire ses courriels et trotter sur Facebook. Il vint la rejoindre.

— Qu'est-ce qu'il y a pour le souper ?

Devant son silence, il se pencha vers celle qu'il aimait plus que tout au monde.

— Ma chérie, voyons donc ! Tu savais que ce métier allait me dévorer. Je suis médecin, pas mécanicien dans un garage, qui commence à 8 heures et qui finit à 16 heures. Je tiens la santé de mes patients entre mes mains. Tu le savais quand tu as accepté de m'épouser. Pourquoi tu ne restes pas à la maison ? Le restaurant de ton père peut se passer de toi, mon trésor. C'est notre vie à nous qui est importante. Travaille de la maison. Tu peux faire de la révision linguistique ou des enquêtes téléphoniques ou cuisiner pour ton petit mari qui meurt de faim.

— J'ai besoin de sortir de la maison. Je sais que papa peut se débrouiller sans moi. Mais je dois voir du monde, me libérer du quotidien. Toi, peux-tu comprendre ça? Ta médecine, elle ne t'amène que des problèmes. Tu imagines quand les gens comprennent que je suis mariée au médecin accusé d'avoir transformé un petit garçon en trisomique et que tous les journaux en font la une?

— Pas trisomique, Stéphanie. Félix est Asperger. Tu devrais aller sur Internet lire sur ce trouble au lieu de jouer à tes petits jeux de démolition! Je ne peux pas avoir provoqué le syndrome d'Asperger. C'est impossible.

— Pourquoi les journaux disent que c'est ce que tu as fait?

— Les journaux ne disent pas que je suis responsable de l'Asperger de Félix Lamarre. Ils disent que son père, Claude Lamarre, m'accuse de ça. Mais tu vas voir, je serai blanchi dans quelques semaines. Arrête de me rebattre les oreilles avec cette affaire!

Il ne lui parla pas du décès de mademoiselle Raby. Il ne voulait surtout plus avoir à y penser. Jamais.

— Je vais aller te faire réchauffer la sauce à spaghetti, dit-elle en se levant.

Il chercha un stylo dans le tiroir du bureau de Stéphanie et tomba sur une enveloppe remplie de billets.

Une assez grosse somme. Quand elle l'appela pour manger, il tenta d'élucider la présence d'une telle somme d'argent dans son tiroir.

— Ah, je voulais t'aider. J'ai… je… je trouve des rendez-vous à des gens qui ont besoin d'un médecin. J'ai pensé que ce serait plus facile à Valrose.

— Les gens te payent pour ça ? hurla-t-il. Tu leur demandes de l'argent pour leur trouver un rendez-vous avec un médecin ? Et Jeanne Beaulieu marche dans ce jeu ?

— William aussi.

— Mais as-tu seulement pensé que si quelqu'un te dénonçait, ce serait la catastrophe ? J'imagine Prospère Bourgault en train de parler de nous comme du couple maudit !

— Ne t'énerve pas. Il y a des entreprises qui offrent aux patients de leur dénicher un rendez-vous avec un médecin, n'importe lequel. Elles chargent des frais, jusqu'à trente dollars. Pourquoi pas moi ? Quand une personne est mal en point, elle payerait très cher pour voir un docteur. Les cliniques sont bondées, les urgences débordent. Moi, Stéphanie Latraverse, je leur offre un rendez-vous pour le lendemain, parfois. Ça fait l'affaire du malade et ça fait l'affaire du médecin. Vous êtes encore payés pour une consultation jusqu'à preuve du contraire, non ? Tout le monde y gagne. Et moi, l'inter-médiaire entre la douleur et la guérison, je gagne un tout petit cinquante dollars. Ce n'est pas la fin du monde !

— Je ne comprends pas pourquoi Jeanne ne m'a jamais parlé de ça, grogna Mathieu. Elle me ménage ces temps-ci. Je suis certain qu'elle trouve qu'il m'en arrive pas mal depuis un an.

— J'ai promis de l'emmener souper à *L'Impressionniste* un des ces soirs pour la remercier. Elle m'en a placé quatre depuis hier. Si tu voyais comme ces gens sont reconnaissants ! Juste ça, ça vaut la peine, Mathieu.

— Tu ne m'as pas envoyé de patients à moi ?

— Non, avoua-t-elle. J'aurais eu peur que tu m'en veuilles si un de ces patients t'avait demandé de remercier ta femme… Je sais que tu ne l'aurais pas pris.

Mathieu soupira en se disant que c'était la façon que Stéphanie avait trouvée pour s'impliquer dans sa vie professionnelle, entrer par la petite porte de Valrose et ainsi se sentir complice. Souvent, elle avait critiqué le fait qu'il soignait les autres, mais n'avait jamais le temps de la soigner, elle, quand il lui arrivait d'être secouée par de violentes migraines. Excédé parfois, il lui lançait brusquement : « Va voir un médecin ! » Un autre que lui. Le Collège n'appréciait pas que les docteurs soignent leurs proches, sauf dans des situations urgentes. Il rit en songeant qu'il lui arrivait quand même, de temps à autre, de respecter le code de déontologie imposé par cette clique de vieilles barbes du Collège des médecins.

« Va voir un médecin » était sa seule porte de sortie.

Il pensa au fisc. Il était trop tard pour rappeler l'agent. Tâche qu'il remit au lendemain. De toute manière, Mathieu savait qu'il devait quelques milliers de dollars à l'impôt fédéral. Il s'était souvent demandé pourquoi la Régie de l'assurance-maladie ne prélevait pas l'impôt à la source comme pour tous ses autres employés.

Il alla retrouver Stéphanie entre ses draps de coton égyptien. Elle ne dormait pas encore. Et estima qu'il était temps qu'ils fassent l'amour. Il s'appliqua du mieux qu'il put pour la faire jouir, la rendre heureuse, lui faire comprendre qu'elle était tout pour lui. Ils manquaient un peu de fantaisie dans leurs ébats. Mathieu disait : faire l'amour à la papa. Il rêvait que Stéphanie lui fasse des stripteases, qu'elle réinvente sa manière de baiser, qu'elle aille au bout de ses fantasmes. Seules les maîtresses y arrivent, songea-t-il. Il ferma les yeux pour faire taire ses démons. Une maîtresse pouvait l'attendre sans inquiétude, ne pas lui faire de reproches, baiser comme une bête, hurler au faîte de son orgasme parce que aucun petit Hubert ne dormait dans la chambre à côté. Se pouvait-il qu'un petit enfant vienne à bout de la folie sexuelle de ses parents ? Et Stéphanie qui voulait en fabriquer un deuxième...

L'agent du fisc fut d'une froideur d'acier quand il affirma à Mathieu Crevier qu'il devait plus de trente mille dollars à l'impôt pour l'année qui venait de se terminer. Les agents du fisc fédéral n'étaient visiblement pas là pour comprendre leur clientèle, surtout celle qu'ils jugeaient privilégiée. Il répéta deux fois, au cours de la courte conversation : « Vous êtes médecin ! » Selon l'homme à l'accent hispanique, cela lui donnait toutes les raisons d'humilier son interlocuteur qui, nerveux comme une jeune fille à sa première entrevue, n'arrivait pas à trouver d'arguments, quels qu'ils soient. C'est Stéphanie qui s'occupait d'envoyer les paiements mensuels aléatoires en prévision d'une somme impressionnante et elle n'avait pas l'habitude d'oublier.

— Je ne comprends pas, monsieur. Aux dernières nouvelles, il me restait exactement six mille trois cent quatre-vingt-quatorze dollars à régler, rétorqua Mathieu en farfouillant dans le dossier FISC trouvé dans son classeur.

— Votre numéro d'assurance sociale, s'il vous plaît.

Mathieu détestait viscéralement ce fonctionnaire arrogant qui usait de son pouvoir d'écrabouiller les travailleurs honnêtes. Il lui énuméra son NAS sans aucune hésitation. Le fonctionnaire demeura muet au téléphone pendant de longues minutes tandis que le froissement de papier et le cliquetis de ses doigts sur le clavier témoignaient qu'il cherchait les informations voulues pour répondre à l'objection de son client. Il revint au docteur-riche-et-résolument-malhonnête que devait être ce Mathieu Crevier de la clinique médicale Valrose! Il toussota trois fois avant de dire :

— Ce n'est pas le bon numéro d'assurance sociale. Vous voulez vérifier que c'est bien…

— Je vous ai donné le bon numéro. Je l'ai appris par cœur le jour où j'ai eu mon premier job dans un camp de jour.

— En effet, il y a trop de différence. Je… nous… il y a eu une erreur. L'autre Mathieu Crevier a deux T à son prénom et il pratique en Abitibi.

Le fonctionnaire se mit à rire nerveusement et s'excusa avec toute la solennité que nécessitait l'erreur de son département, sachant qu'il avait créé de l'angoisse chez son client et qu'on n'avait probablement réclamé que six mille trois cent quatre-vingt-quatorze dollars à un autre médecin en Abitibi et, donc, qu'un de ses collègues se ferait taper sur les doigts.

Mathieu Crevier était très heureux du dénouement de cette affaire. Le fisc faisait rarement de telles erreurs venant troubler la quiétude des contribuables et pouvant même pousser certains au suicide.

— Pauvre con! lança-t-il en raccrochant.

Pourtant, Mathieu était heureux tout à coup. Il téléphona au *Bistro de la Traverse* pour parler à

Stéphanie. Il lui raconta ce qui venait de se passer et elle promit de revenir tôt du travail et de lui fricoter une blanquette de veau avec des petites patates rissolées, son repas préféré.

— Quand on vient de gagner vingt-quatre mille dollars grâce à un coup de téléphone, il faut fêter ça !

La voix de Stéphanie était fébrile, comme s'il y avait autre chose de sous-jacent à son propos enthousiaste. Se pouvait-il que leur vie de couple trouve un second souffle ?

Son rendez-vous suivant était très attendu. Maître Georges Dupuis avait insisté pour rencontrer Mathieu à 10 heures pile. Celui-ci avait dû demander à Jeanne, une fois de plus, d'annuler ses rendez-vous du matin. L'avocat de l'ACPM était persuadé qu'il allait alléger la vie de son client : Claude Lamarre avait abdiqué et renoncé à sa poursuite contre le docteur Crevier et aussi contre la Clinique médicale Valrose. Le spécialiste de l'Institut pour Enfants avait été catégorique : nul ne pouvait provoquer le syndrome d'Asperger ou quelque autre forme d'autisme chez un enfant. Il en avait conclu, après examen en profondeur de Félix Lamarre, que le petit garçon avait toujours eu des réactions différentes de son frère Jonathan. De fait, le spécialiste avait déjà rencontré quelques très rares cas de jumeaux monozygotes dont l'un des deux était Asperger ou même présentait une trisomie typée. Les cas affluaient du côté des faux jumeaux, dits dizygotes, surtout chez les jumeaux de sexe différent, tels que les avait décrits le docteur Luigi Gedda à la fin des années cinquante. Fort de sa spécialité dans ce domaine de recherche, le docteur Cummings avait été heureux de venir en aide à un collègue. Maître Dupuis ne tarissait pas d'éloges envers le spécialiste dont il tenait le rapport officiel.

— Vous êtes gracié, docteur Crevier. Je suis très content pour vous. Vous recevrez la lettre officielle avant la fin de semaine. Si vous le voulez, cependant, je peux vous recommander un de mes collègues qui travaille à son compte.

— Pourquoi, ça ?

— Vous pourriez poursuivre Claude Lamarre pour diffamation et atteinte à votre réputation.

Mathieu arrêta de respirer. Claude Lamarre avait beau perdre sa cause, il demeurait le père d'un pauvre petit gars qui allait demander tellement de soins, tellement de soutien et d'amour que le jeune médecin décida de ne pas lui en vouloir de s'être égaré dans les méandres de la justice. Cependant, s'il fallait un coupable, il trouvait de bon aloi de poursuivre Prospère Bourgault et *L'Envolée* pour avoir sali son nom, ce qui avait fini par éloigner sa clientèle. Les citoyens, même si on leur présente l'histoire la plus loufoque qui soit, restent souvent impressionnés par une nouvelle dans le journal. *Et si c'était vrai…* n'était pas seulement le titre d'un roman de Marc Levy, mais le fondement même de la relation des médias avec leurs lecteurs tant que ces derniers ne se rendaient pas à l'évidence. Mathieu craignait que ses patients soient inquiets et qu'ils boudent son cabinet. Il espérait qu'en poursuivant l'hebdomadaire de la région et son journaliste préféré, les choses allaient se tasser.

Ce soir-là, Stéphanie attendait Mathieu pour le souper. Elle avait fait garder Hubert par sa mère et avait dressé la table dans le salon, en face du foyer qui brûlait comme les feux de l'enfer, songea Mathieu. Un bouquet de chrysanthèmes ornait le centre de la table et un cadeau bien emballé attendait devant l'assiette de son mari. Une bouteille de bon vin débouchée s'oxygénait pour dévoiler ses effluves. Stéphanie était ravissante dans une nouvelle robe en lin souple, agrémentée d'un long foulard agencé, et elle avait coloré ses cheveux : ils étaient plus blonds et plus courts, ce qui lui donnait un air coquin. Mathieu l'embrassa chaudement, puis monta prendre une douche et changer de vêtements.

— Ça sent bon, dis donc ! À qui c'est, le cadeau ?

— Ben, il est à toi, grand dadais !

— Je reviens dans quelques minutes. J'ai de bonnes nouvelles à t'annoncer.

— Ça adonne bien, j'en ai moi aussi.

Mathieu avait l'impression que Stéphanie devait avoir choisi de ne plus travailler ou qu'elle s'était ravisée sur leur relation qui s'étiolait et avait décidé de la sauver. Le savon et l'eau chaude venaient à bout de le soustraire aux relents tenaces qui avaient troublé sa quiétude ces derniers temps. Il allait désormais se sentir débarrassé de ses angoisses. Il retrouverait sa Stéphanie et son petit Hubert, qui lui manquait tout à coup. Il n'appréciait pas que son fils subisse les influences négatives de sa belle-mère, qui en prenait soin plus souvent que sa propre mère. Sauf ce soir-là.

Quand elle lui servit un potage à l'oseille accompagné de pain encore chaud qu'elle avait dû apporter du *Bistro de la Traverse,* Mathieu songea à tous ces gens qui ne connaîtraient jamais de telles attentions. L'odeur citronnée de l'oseille lui fit penser à celui qu'il venait d'épargner après avoir parlé à l'agent de l'impôt, et il se mit à rire. Il raconta à Stéphanie ce qui s'était passé.

— Il n'avait pas le bon Mathieu Crevier. Il y en a un autre qui pratique en Abitibi. Peux-tu imaginer ?

— Je suis heureuse pour toi. Mais pas pour lui. Quand il recevra son état de compte, ouh là là !

Le potage était savoureux et très crémeux. Au moment de servir la blanquette, Stéphanie déclara :

— Tu peux ouvrir ton cadeau.

— Tout de suite ?

— Mais oui, tout de suite.

Mathieu prit son temps pour déchirer le papier bleu, fixant les yeux dans ceux de Stéphanie, qui était visiblement très excitée. Elle riait nerveusement.

— Mon Dieu, mon amour !

Dans la boîte, il y avait une paire de petits chaussons de bébé et, passé au travers les lacets, le tube d'un test de grossesse positif. Il ne savait pas comment réagir. Un autre enfant. Une petite fille tant désirée peut-être, ou un petit frère pour Hubert.

— T'es content ?

— Oui, je suis très content. Nos canaux reproducteurs fonctionnent à merveille, d'après ce que je constate.

Il embrassa Stéphanie et ils se mirent à pleurer en silence. Mathieu ne savait vraiment pas si la venue d'un autre enfant allait les rapprocher. Ils seraient désormais quatre. Il se rappela sa mère qui disait toujours que l'amour savait se multiplier au lieu de se diviser et que si tu as six enfants, tu aimes six fois plus. Il se persuada que sa grand-mère, qui en avait eu douze, les avait en effet aimés douze fois plus.

Ils vidèrent la bouteille de Chasse-Spleen 1987 en constatant que le nom de ce vin était magnifiquement bien choisi. Ils retrouvèrent rapidement leur attraction d'avant. Elle l'entraîna, avant même de servir le dessert, dans la chambre et, cette fois, prit le contrôle de leurs ébats et lui fit découvrir des aspects d'elle-même qui le conduisirent dans un monde insoupçonné. Un monde où Stéphanie devenait la maîtresse qu'il attendait. La maîtresse pleine d'une grossesse débutante. Stéphanie était devenue la femme qu'il avait souhaitée, plus sauvage et plus ludique.

Après avoir fait l'amour, Mathieu lui dit :

— Claude Lamarre a renoncé.

— Et c'est maintenant que tu me dis ça !

— J'avais plus important à faire.

— C'est la bonne nouvelle que tu attendais depuis tellement longtemps, Mat !

— Mais c'est loin d'être terminé.

— Bon, qu'y a-t-il encore ?

— Je vais poursuivre Prospère Bourgault de *L'Envolée* et aussi *Le Journal du Matin* pour diffamation et parce qu'ils n'ont pas vérifié leurs sources avant de m'accuser. La clinique et moi, on a une assurance responsabilité. L'avocat de l'Association canadienne de protection médicale m'a suggéré un de ses collègues qui est au courant de toute l'affaire, Robert D. Boulay.

— Robert D. Boulay? L'avocat qui a défendu Frank Sirois? Mon Dieu, ils vont trembler dans leur culotte! Il n'a jamais perdu une seule cause. Même l'affaire de la place Kent-Baldwin. On ne se mouche pas avec de la pelure d'oignon!

— Je vais avoir besoin de toi pour me soutenir. Tu en seras capable?

— Je vais travailler juste deux jours, le temps de ma grossesse. Papa a dit que c'est correct.

— Tu l'as annoncé à tes parents avant moi?

— Mais non, on va aller souper dimanche et on leur dira. Mais pour qui me prends-tu?

— Pour mon amour et la mère de mes deux enfants. Je t'aime, tu sais.

— Et moi donc! J'ai hâte de voir la réaction d'Hubert.

— Il dira qu'il ne veut pas d'une fille dans le ventre de sa mère. Macho si jeune!

15.

Mélissa O'Brien sortit de l'urgence totalement interloquée. Elle se rendit à la réception et déversa sa rage sur le bureau de William. Un patient du docteur Caron avait réussi à se faufiler jusqu'à l'urgence sous de faux motifs. Il se plaignait de violentes douleurs dans la poitrine en affirmant qu'il avait déjà fait un petit infarctus. William lui ouvrit un dossier et le plaça dans la pile des cas urgents. La docteure O'Brien n'y vit que du feu. Louis-Joseph Myre pouvait s'écrouler et mourir indignement sur le tapis de la salle d'urgence. William s'était dit qu'il fallait toujours prendre ce genre de maladie au sérieux.

L'homme d'une quarantaine d'années était camionneur sur longue distance. Il était marié et avait cinq enfants. C'est tout ce qu'elle avait besoin de savoir juste avant de lui demander de retirer sa chemise bleu policier, et d'exiger le silence. Elle prit sa tension artérielle. La docteure O'Brien était certaine que Louis-Joseph Myre allait bientôt s'écrouler et se disait qu'elle allait demander à William d'appeler une ambulance. Il faisait de l'embonpoint et sentait la fumée de cigarette à plein nez. Tout était possible. Sa tension était très élevée et il avait le teint grisâtre. Il faisait sept ou dix ans de plus que son âge. Il se mit à tousser nerveusement. Mélissa lui demanda de monter sur le pèse-personne, ce qui le rendit encore plus anxieux.

Ils retournèrent s'asseoir dans le bureau de la docteure O'Brien. Monsieur Myre était très mal à l'aise, mais se lança tout de même.

— Docteure, je dois me rendre à Cape Cod dès vendredi.

— Je crois que vous devriez prendre quelques jours pour vous reposer. Je vais vous prescrire des anti-hypertenseurs. Votre pression est trop haute. Je vais aussi vous faire voir par le cardiologue. J'essayerai de vous obtenir un rendez-vous dans quelques jours. Il faut que vous perdiez du poids, monsieur Myre. Cent un kilos, c'est beaucoup trop.

— Oui, oui. Je vais me mettre au régime. Je ne suis pas syndiqué et ce voyage à Cape Cod est très important pour monsieur Déziel. Sa compagnie en dépend. Je dois partir demain matin.

— Alors, je vais vous donner des échantillons pour une semaine. Prenez-vous du Coumadin depuis votre dernier infarctus ?

— Non. Je ne prends rien. Enfin, je ne veux pas prendre de pilules.

— Pas de pilules, mais de la bière, des cigarettes et de la pizza en masse !

— Docteure, je ne suis pas venu pour ça.

— Mais vous avez dit au réceptionniste que vous avez fait un léger infarctus et que c'était important que vous soyez vu à l'urgence. C'est des mensonges, monsieur Myre ?

— J'ai besoin qu'un docteur signe le formulaire de la SAAQ si je veux renouveler mon permis de conduire. J'ai cinq enfants pis ma femme à faire vivre. Vous devez signer mon formulaire.

— Vous m'avez menti. Quand on a besoin de faire remplir un formulaire de la SAAQ, on n'attend pas à la dernière minute et on ne va pas à l'urgence, mais au bureau de son médecin. C'est le docteur Caron, votre médecin. Pas moi.

— Je vais vous donner le montant que vous me demanderez. Le docteur Caron n'est pas là aujourd'hui.

— Mais il fallait prendre un rendez-vous il y a un mois. Vous devez avoir reçu ce formulaire il y a au moins deux mois. Ah, vraiment ! Je vais vous le signer, monsieur Myre. Pour cette fois. Parce que vous en avez besoin pour faire vivre votre famille. Mais je ne suis pas certaine qu'avec ce que je vais inscrire dans la partie de l'examen physique, la SAAQ vous décernera votre permis de camionneur.

— Mais qu'est-ce que vous allez tant leur dire ? bredouilla l'homme.

— La vérité. Vous avez des problèmes cardiaques, vous fumez, vous...

Monsieur Myre fit alors quelque chose que la docteure n'aurait jamais soupçonné. Il se leva et arracha le formulaire de la SAAQ des mains de la docteure, puis sortit en disant, assez fort pour que William entende bien :

— Laissez faire, docteure ! Je vais aller en voir un plus compétent que vous qui me le signera. Les femmes médecins, ce sont des idiotes et des incompétentes !

Il sortit de la clinique en piaffant comme un vieux canasson et en proférant d'horribles bêtises. Les patients installés dans la salle d'attente restaient bouche bée. Dans sa grosse colère, Louis-Joseph Myre oublia son formulaire sur le comptoir de la réception. William s'empressa d'aller le porter à la docteure O'Brien.

Voyant cela, Mélissa lui demanda de composer pour elle le numéro de téléphone de Mme Myre. Elle devait lui parler pour le bien-être de son mari.

— Votre mari a besoin d'être suivi. Il a des problèmes...

— ... des problèmes de boisson, oui, je sais, répliqua Mme Myre.

162

— Il boit beaucoup ?

— Il boit sa caisse de bière dans son camion en montant aux États-Unis, il boit quand il est à la maison. Il boit les fins de semaine.

— Et il conduit quand même ?

— Il dit qu'il n'est jamais assez saoul pour s'empêcher de conduire. Ce qu'il ne dira jamais, c'est qu'il devient violent et qu'il frappe les enfants, il jure contre eux, il engueule les voisins. C'est invivable.

— Votre mari voulait que je lui remplisse son formulaire de permis de conduire. Avec ce que vous venez de me confirmer, j'ai bien fait d'hésiter.

— Bien sûr, je vous comprends. En même temps, je sais qu'il a besoin de travailler, sinon, je ne sais pas ce que je vais faire.

— Je comprends. S'il vous en parle, il a oublié son formulaire à la réception de la clinique. Dans sa crise, il a juré qu'il allait trouver un autre médecin plus... plus compréhensif que moi.

Mme Myre ne répondit pas tout de suite, comme si elle réfléchissait à la situation.

— Si ça peut le sauver, docteure, ne lui dites pas que c'est vous qui l'avez en votre possession. Il va croire qu'il a perdu son formulaire et il ne l'aura pas pour son voyage à Cape Cod. Avant que le fonctionnaire de la SAAQ ne lui en renvoie un autre, il ne pourra pas recevoir son permis à temps. Monsieur Déziel va le foutre à la porte et il devra promettre de ne plus boire. Si vous saviez…

Mme Myre se mit à sangloter à l'autre bout du fil. Mélissa O'Brien était désolée que les problèmes de santé de son patient puissent entraîner toute sa famille avec lui. Elle se sentait coupable de confisquer le formulaire de la SAAQ. Finalement — puisque sa femme prévoyait que M. Déziel allait le congédier de toute manière —, elle décida de signer le formulaire en y ajoutant qu'il avait de graves problèmes d'alcoolisme, une maladie cardiaque et de sévères problèmes dus à son obésité. Elle mit le tout dans une enveloppe et demanda à William de la poster à la SAAQ — section permis de camionneur. William approuva sans commenter. La docteure O'Brien, de son côté, savait qu'elle avait sauvé un homme, sa famille et d'innocents citoyens qui risquaient d'être tués par un conducteur ivre.

Le soir même, Mélissa retrouva son amoureux qui venait de réussir son examen du Barreau du Québec. Elle était très fière de lui. Elle lui raconta l'histoire de Louis-Joseph Myre et il approuva tout à fait la conduite de Mélissa dans cette étrange affaire.

— Tu es mieux de toujours tout écrire dans le dossier des patients, surtout chez ceux qui ont un comportement violent. Écris qu'il t'a arraché le formulaire et qu'il t'a traitée d'incompétente. Écris absolument tout pour ta protection, mon amour.

Comme il était précieux, ce nouvel avocat, dans la vie de Mélissa. Comme elle l'aimait. Pierre Cordier et elle étaient ensemble depuis aussi peu que cinq ans, mais pas une seule journée ne se passait sans que des événements loufoques la leur rendent agréable. Un plombier qui ne savait pas réparer un tuyau qui coule ; un propriétaire qui leur achetait des pantoufles pour ne plus entendre le bruit de leurs pas dans l'appartement du deuxième ; un ancien amoureux de Mélissa qui venait sérénader sous leur balcon ; un voleur qui ne s'était emparé que du contenu du congélateur ; une chauve-souris qui était entrée par effraction et qui s'était accrochée au pommeau de la douche. À la clinique, chaque fois que Mélissa entrait, quelqu'un disait :

— Bon, raconte-nous ce qui s'est passé cette nuit chez toi.

S'il ne s'était rien passé de spécial, elle inventait les histoires les plus bizarres qui pouvaient faire rire ou encore étonner ses collègues de travail.

Le lendemain, quand elle leur raconta l'affaire de Louis-Joseph Myre, Jeanne eut un haut-le-cœur. Blanche comme un linge, elle tenait le *Journal du Matin*. Elle étala le journal sur sa table de travail pour que tout le monde puisse bien le voir. La une disait :

UN ACCIDENT *inévitable*

Un homme de Sainte-Marie se suicide en lançant violemment sa voiture contre un taxi roulant en sens inverse et tue de plein fouet le conducteur d'origine haïtienne. En effet, Louis-Joseph Myre, un chauffeur de camion de longue distance, a visiblement causé la mort d'un père de trois jeunes enfants dont l'épouse est enceinte. Jean-Marie Socrate avait à peine trente ans et il était heureux que ce premier travail depuis son arrivée au Québec lui permette de bien faire vivre sa jeune famille. La femme de monsieur Myre nous a raconté ne pas avoir été tellement étonnée que son mari ait commis une telle bêtise. «Sa demande de permis à la SAAQ venait de lui être refusée grâce à un médecin vigilant», a déclaré Solange Côté-Myre. Le couple Myre avait cinq enfants. À première vue, l'alcool serait la cause première de cet accident. Mme Myre a confié à notre journaliste qu'elle souhaitait à la famille Socrate tout le courage nécessaire pour traverser cette horrible épreuve.

Tous se tournèrent du côté de Mélissa qui avait le visage rouge comme une framboise. Jusqu'à ce matin-là, personne n'était au courant de ce qui s'était passé la veille au soir.

Mélissa brisa quand même le silence en disant:

— Mme Myre aussi est une victime. Elle m'a demandé de l'aider. J'ai fait ce qu'il y avait à faire.

Puis, elle se dirigea vers la salle d'urgence, la tête haute, laissant Fabienne, Pierre-André et Jeanne complètement ébahis.

& & &

Assise à son bureau, la tête appuyée sur ses paumes, Mélissa réfléchissait. Est-ce que durant toute sa vie professionnelle elle se demanderait si elle avait fait la bonne chose ? Personne à l'université ne lui avait expliqué cette insécurité constante, ces remords et ces regrets qui l'assaillaient à cet instant même. On ne l'avait pas prévenue de ces grands moments de tiraillement qu'elle vivrait après avoir posé un diagnostic ou pris ses propres décisions. Personne n'avait parlé de l'estomac qui se tord, de la gorge qui s'assèche, des doutes qui s'installent… Bien sûr, se dit-elle, tous les travailleurs ont des responsabilités envers leur clientèle. Un électricien qui connecte mal les fils peut être responsable d'un incendie tuant tous les membres d'une même famille. Mais l'électricien doit faire partie d'un regroupement d'électriciens après avoir fait ses preuves. Pas les médecins. Ils étudient et eussent-ils obtenu la note de passage ou la désapprobation d'un professeur, ils sont lancés malgré tout parmi le public et doivent se dresser contre la maladie, contre ces tueurs que représentent le cancer ou le SIDA avec les méthodes qu'on leur a enseignées et qui fluctuent constamment. Mélissa avait une peur intrinsèque de perdre un patient parce qu'elle n'aurait pas fait la bonne chose. Elle savait qu'il en était de même pour tous ses collègues. Il en était de même pour Pierre Cordier, son mari avocat. À la seule différence qu'elle, elle jouait avec la vie des gens. La vie puis, tout à coup, la mort. De là provenait le pouvoir du médecin.

Avait-elle bien agi en remplissant le formulaire de la SAAQ de Louis-Joseph Myre? Elle aurait pu cacher qu'il était alcoolique et violent. Il aurait continué à conduire son camion sur les routes entre le Québec et la Nouvelle-Angleterre, il n'aurait peut-être jamais eu d'accident et ses enfants auraient encore un papa. Tel était le questionnement quotidien de Mélissa. Elle se rendit dans le cagibi des médicaments et attrapa un échantillon de Bentylol pour calmer son estomac. Après tout, il fallait aussi soigner les médecins.

16.

Pour la première fois, Pierre-André Caron et Fabienne Lanthier décidèrent d'afficher officiellement leur amour. Ils annoncèrent à leurs collègues qu'ils partaient ensemble aux Îles-de-la-Madeleine pour deux semaines. Pas une question, pas une remarque désobligeante de la part de quiconque. Sauf Mélissa qui affirma qu'elle le savait depuis le début. Éléonore le savait aussi, mais, comme la docteure O'Brien, elle avait gardé le secret, puisque cela ne regardait que son frère et la docteure Lanthier et que cela n'interférait pas avec leur travail.

Ils partirent, en voiture, le jour des funérailles de monsieur Myre et de monsieur Socrate, célébrées dans les deux églises servant de frontière entre Sainte-Marie et Saint-Germain. Deux êtres colorés dont les destins s'étaient croisés cruellement.

Mélissa assista aux obsèques de Louis-Joseph Myre afin de signifier à sa femme qu'elles avaient partagé toutes les deux à leur façon un pan de la vie de cet homme. Pierre l'accompagna et apprécia l'humanité et l'empathie de sa femme.

Quant à Fabienne, elle s'était délestée de mille tracas pour se consacrer à ses premières vacances depuis l'ouverture de Valrose et aussi ses premières vacances en couple avec Pierre-André. Elle avait souvent entendu dire que c'est en voyage que l'on connaît vraiment une personne. Sa capacité d'adaptation et d'émerveillement. Sa joie de vivre, même au réveil. Son sens de l'observation et son respect des autres cultures.

Après deux jours, ils se retrouvèrent sur la traverse de Souris à l'Île-du-Prince-Édouard. Ils profitèrent de la traversée de cinq heures pour s'emplir les poumons de l'air salin et pour se laisser fouetter par le poudrin de cette journée de grand vent. Fabienne était heureuse et ne laissait jamais la main de Pierre-André. Une dame, assise sur le pont, demanda à Fabienne si elle était en voyage de noces.

— Presque, répondit Fabienne en riant.

Au milieu de la traversée, vers 10 h 30, les deux médecins remarquèrent un groupe de personnes âgées qui se rendaient aux Îles. Alors qu'il marchait vers la cafétéria du bateau, un homme d'environ quatre-vingts ans, droit comme un mât, se mit à tanguer dangereusement, puis s'écroula de tout son long sous les cris de sa compagne.

— *Clifford, oh my God ! Cliff !*

Puis leurs autres compagnons de voyage entourèrent Clifford et sa femme Stella en poussant des petits gémissements d'inquiétude. Pierre-André se dirigea vers le groupe, forçant les gens à se disperser pour laisser la victime respirer. Un couple d'amis tirèrent Stella hors de l'attroupement, lui entourèrent les épaules d'une couverture de kapok, puis lui offrirent une bouteille d'eau de source tout en lui apportant leur réconfort. Fabienne annonça nerveusement :

— Laissez-le passer, il… nous sommes médecins ! *We are physicians, both of us.*

Une meute de regards mêlés d'admiration et d'anxiété laissa les deux médecins s'accroupir auprès de Clifford qui ne bougeait plus. Comme il n'avait aucun stéthoscope ni aucune lumière pour examiner le fond de l'œil de la victime, Pierre-André décida de procéder à la réanimation de l'homme par le bouche-à-bouche. Fabienne mourait d'admiration pour son amoureux. Elle lui demanda :

— Tu veux que je continue ?

— Ça va aller. Essaie de me trouver un mouchoir ou un chiffon propre des cuisines. Je veux bien sauver Clifford, mais je dois me protéger. Quand j'appuie sur sa cage thoracique, il vomit.

Fabienne grimaça en réalisant le risque de l'opération de sauvetage et elle demanda si quelqu'un avait un mouchoir propre. Une vieille dame sèche ouvrit son sac à main et en extirpa un petit mouchoir brodé, usé jusqu'à la transparence, puis se pencha pour l'offrir à Pierre-André. Les témoins continuaient d'observer la scène et une rumeur de tristesse courait entre eux tandis que des curieux voulaient savoir ce qui se passait. Deux employés en uniforme de la marine offrirent leurs services.

— Nous avons appelé la terre ferme.

Fabienne émit un petit rire nerveux en imaginant la « terre ferme » répondre : j'arrive !

Après les quelques minutes fatidiques au cours desquelles Pierre-André et Fabienne déployèrent toute leur science de la réanimation, ils constatèrent que c'était en vain. Les paupières de Clifford étaient désormais rigides au point de demeurer entrouvertes, ses lèvres avaient bleui. Le pouls s'était tu et déjà, la peau prenait l'aspect du cuir froid.

Fabienne entoura Stella de son bras en lui parlant doucement.

— Clifford est mort, madame. On a fait tout ce qu'on a pu. On peut faire quelque chose pour vous ?

172

— Qu'est-ce qui va se passer, maintenant?

— Vous voulez téléphoner à vos enfants? dit-elle en lui offrant son cellulaire.

— Je veux dire: qu'est-ce qui va se passer avec Clifford? On va attendre d'arriver à Cap-aux-Meules? On va le laisser couché par terre?

— Je vais demander qu'on place votre mari dans une cabine. On sera là-bas dans deux heures. Vous pourrez demeurer auprès de Clifford. Vous pensez que ça pourra aller?

Stella était malgré tout très reconnaissante que cette jeune médecin se préoccupe d'elle ainsi.

— Quel âge avez-vous?

— J'ai vingt-sept ans.

— Vos parents doivent être fiers de vous.

— Oui, je crois qu'ils le sont.

— L'autre docteur est votre mari?

— Euh, pas encore. Je ne lui ai pas encore demandé.

Stella se mit à rire.

— Eh bien, *ask him*! Demandez-lui. Vous aurez un bon père pour vos enfants. Clifford et moi, nous en avons eu sept et nous avons perdu notre fils Charles il y a deux ans. Un Hodgkin. C'était injuste. Mais dans le cas de Clifford, on s'attendait tous les deux à mourir bientôt. Clifford doit être heureux d'être mort sur la mer. Mon mari était capitaine au long cours pour la

British Consolidated. Nous avons failli nous séparer souvent à cause de cette monstrueuse maîtresse. Une maîtresse exigeante qui lui volait ses plus belles années. *The sea is an awfull lover.* Je l'ai tellement attendu, à la tombée du jour, debout avec mes sept enfants, sur le bout du quai ! Maintenant, la mer le porte vers sa dernière demeure. Elle aura eu raison de lui.

Fabienne était bouleversée. Trois employés de la CTMA transportèrent Clifford dans une cabine et offrirent d'apporter à sa veuve tout ce qui pouvait lui faire plaisir. Fabienne et Pierre-André décidèrent de terminer le voyage en compagnie de Stella et Clifford, ayant l'heureuse certitude que leur amour ressemblerait à celui de ce vieux couple de la Nouvelle-Écosse. De temps à autre, par petits groupes de deux ou trois, ses amis venaient s'enquérir de Stella.

Derrière le hublot, le soleil était flamboyant, en guise de célébration de la vie. L'Île d'Entrée se profilait sur l'horizon et des mouettes tournoyaient au-dessus du traversier. Le calme revint et les voyageurs attendaient avec excitation d'arriver aux Îles. Ils défilaient en procession de la cafétéria vers les salons jalonnant leur itinéraire vers la sortie.

La mer avait porté Clifford vers un autre paradis.

& & &

Fabienne avait réservé une maison appuyée aux dunes du golfe du Saint-Laurent. À Bassin. Elle était tout de suite tombée amoureuse de l'endroit et se promit d'ores et déjà d'acheter une maison aux Îles-de-la-Madeleine.

— Tu aimerais vivre ici, Pierre-André ?

— Oui, et y exercer. As-tu seulement pensé à la belle pratique que nous pourrions avoir, ici ? Comparées avec les plaintes de nos patients, celles des phoques sont tellement plus sympathiques !

— On peut venir y passer nos étés. La petite maison bleue sur le chemin des Échouries est à vendre.

Pierre-André fixa l'horizon et ne répondit pas. Silencieux, comme à son habitude, chaque fois qu'il voyait poindre leur avenir. Elle eut beau lui faire raconter de grands pans de sa vie, Fabienne sentait s'éloigner son amour. Le seul moment bienheureux où elle avait l'impression que Pierre-André lui appartenait vraiment, c'était lorsque, les fenêtres grandes ouvertes sur les bruits sourds des vagues, ils faisaient l'amour sans restrictions. Chaque soir, les yeux ensablés, ils laissaient libre cours à leurs pulsions et en ressortaient toujours convaincus d'être nés l'un pour l'autre. Pourtant, au milieu de leurs certitudes, Pierre-André montrait une certaine retenue. Il n'acceptait pas de parler de mariage, d'enfants ou de maison.

Ils quittèrent les Îles comme ils étaient venus, glissant sur les flots noirs vers l'Île-du-Prince-Édouard sur un bateau transportant la vie quotidienne, les camions de livraison, les voitures des touristes, et des centaines de familles, tristes de repartir de ce pays filiforme, heureux, plein d'espoir au bout de son hameçon. Les Îles-de-la-Madeleine s'appelleraient désormais *les Îles* pour Fabienne. Lui restait à en convaincre ce maudit Pierre-André Caron qu'elle aimait plus que tout au monde.

17.

Quand Benoît Raymond arriva à Valrose, ce jeudi-là, Éléonore l'attendait avec une demande des soins palliatifs de Sainte-Marie pour des patients logés à La *Maison Soleil*. L'établissement avait besoin d'un médecin pour assurer le bien-être de ses malades en phase terminale. L'infirmière responsable de la Maison avait entendu parler du docteur Raymond et tentait sa chance auprès de lui pour qu'il vienne visiter ses patients, lesquels, pour la plupart, n'avaient pas plus de trois semaines à vivre. Le ministère de la Santé espérait que les jeunes médecins s'impliqueraient dans l'administration et auprès des clientèles fragilisées, mais ne l'exigeait pas.

Le docteur Raymond lut la lettre de Béatrice Sauvé et se dit qu'il pourrait retirer de grandes satisfactions auprès de cette clientèle en fin de vie dont il s'agissait essentiellement de soulager la douleur. Il aimait le contact avec ces voyageurs qui quittent ce monde et il était persuadé qu'il pouvait les accompagner.

Il téléphona à Béatrice Sauvé et prit rendez-vous avec elle le lendemain après-midi. Sa voix de crécelle l'avait alors quelque peu déstabilisé et il s'était imaginé aussitôt une vieille picouille. Benoît fut annoncé par la secrétaire qui l'introduisit auprès de la responsable de la *Maison Soleil*.

L'endroit était décoré pour que le malade n'oublie jamais pourquoi il était là. Les couloirs étriqués ne manquaient pas de tableaux maladroits représentant des colombes en plein vol vers les cieux, des escaliers rocailleux grimpant vers une éclaircie avec une rampe montante mais aucune descendante, des personnifications plus ou moins fidèles de la Vierge Marie ou de saint François d'Assise, des croix chrétiennes, des bouts de prières. Le docteur Raymond sut immédiatement qu'il lui faudrait entendre des bénévoles catholiques s'adresser à des croyants. Comment un malade sans foi pourrait-il mourir dans pareil lieu s'il croyait aux fées ou à rien du tout ?

— Bonjour, docteur. Vous avez l'air embarrassé. Peut-être n'êtes-vous pas très à l'aise dans cette maison où les patients viennent mourir. J'ai entendu parler de vous par des patients et plusieurs m'ont dit que vous étiez très humain et qu'ils seraient en sécurité avec vous à leurs côtés.

— Ces gens-là n'ont pas dû vous dire que j'aime les endroits décorés avec goût.

— Vous n'aimez pas ? Vous savez, ici on travaille avec une majorité de bénévoles qui s'occupent eux-mêmes de la peinture, de la décoration, des repas, et la couleur des draps dépend de ceux que nous offre la population. C'est une belle cause de laisser des bénévoles aider leurs concitoyens à mourir, vous ne pensez pas, docteur Benoît ? Voilà ce qu'on appelle une œuvre de bienfaisance.

Le docteur Raymond ne trouva pas les mots pour réagir. Il se tut.

Béatrice Sauvé lui expliqua le fonctionnement de cette petite résidence née grâce à des dons de particuliers. Elle ne pouvait compter que sur trois infirmières, deux préposées et une dizaine de bénévoles. Elle lui dit que le plus difficile était d'accompagner les mourants qui n'avaient pas la foi. Pour mourir dans la *Maison Soleil*, entouré de petits soins, il n'en coûtait que huit dollars par jour et les autres traitements étaient facturés sur demande : le distributeur d'oxygène, le lavage des vête-ments personnels, les gâteries autres que les repas quoti-diens. Cette résidence était fréquentée surtout par des cancéreux. Les familles devaient obligatoirement s'oc-cuper de leurs malades. Un proche devait assurer la garde de chaque mourant, l'entourer de sa présence, combler ses besoins spéciaux, et les jeunes enfants devaient demeurer sous haute surveillance.

Benoît accepta de visiter quelques malades en présence de Béatrice Sauvé.

L'infirmière était une très jolie femme qui donnait l'impression d'une petite fille tant elle avait la voix haut perchée. Ils entrèrent dans la chambre numéro six. Il s'y trouvait une vieille dame aux cheveux bleutés, encore plus blême dans sa jaquette fleurie. Elle n'avait aucun soluté. Elle était entourée de deux hommes qui lui manifestaient une tendresse réservée.

— Bonjour, madame Villeneuve. Comment allez-vous aujourd'hui ? dit Béatrice en lui prenant les deux mains et en les portant à sa bouche pour y déposer de tout petits baisers. Bonjour Martin, bonjour Claude. Je vous présente le docteur Raymond de la clinique Valrose. Il se pourrait qu'il se joigne à notre équipe.

— Moi, c'est docteure O'Brien, mon médecin, chuchota Mme Villeneuve, avant de se mettre à tousser.

— Maman, parle pas, ça t'étouffe ! dit Claude.

— Vous a-t-on offert de l'oxygène, Mme Villeneuve ? demanda Béatrice Sauvé.

Martin lui fit signe que non.

— Ma mère ne veut rien. Pas de médicaments, pas de machines. Elle veut mourir tranquille.

La patiente se mit à tousser davantage, s'étouffant presque. Son fils cadet lui prit la main à son tour et, tout en versant quelques larmes, lui dit :

— C'est intolérable pour nous autres, maman. Accepte donc une machine à oxygène. Ça t'aidera au moins à ne pas t'étouffer. Ça nous crève le cœur de te voir comme ça.

Mᵐᵉ Villeneuve sourit très légèrement devant la suggestion de son fils Martin, puis se tourna en direction du docteur Raymond, comme si elle voulait son opinion à lui. Benoît Raymond se sentit attiré vers cette activité de la pratique médicale. Aider les gens à mourir dignement. Il se demandait d'où venait cette idée qui traversait la tête des vieillards de ne pas déranger, de n'occasionner aucune dépense à leurs enfants, de se faire tout petits pour ne pas les détourner d'eux. Il se rendit compte à quel point la société était incompétente quand il s'agissait d'aider les gens à sortir de la parade. Quand la religion leur affirmait que Dieu les attendait, après avoir observé le fil de leur vie, et qu'ils pourraient veiller sur leurs enfants, les personnes mourantes se laissaient couler doucement vers la mort, sans angoisse, sans lutte, sans regrets. Mais quand ils croyaient qu'après leur départ, tout était terminé, noir et silencieux, ils s'accrochaient à leurs proches. Quelque chose devait se produire pour que Mᵐᵉ Villeneuve cesse de vouloir vivre. Le docteur Raymond crut qu'il avait trouvé les explications sur la mort et se disait qu'il allait accepter la demande de Béatrice Sauvé. Elle embaumait la lavande, ses cheveux fleuraient le sucre à la crème, et il y avait tant d'amour en elle, tant d'amour.

Béatrice l'entraîna dans la chambre numéro quatre où la patiente était seule. Elle pleurait, la tête tournée vers le mur. Quelqu'un lui avait envoyé un bouquet de marguerites et une boîte de chocolats.

— Ça ne va pas, aujourd'hui, ma belle Linda?

— Non. Je veux partir tout de suite. Je sais que vous pouvez m'aider. Ils parlent de ça à la télévision: l'aide à mourir.

Comme si Linda n'avait rien dit, Béatrice lui présenta Benoît Raymond.

— Les médicaments ne vous aident pas? Il faut le dire. On est ici pour vous permettre de ne pas souffrir, Linda. Demandez-le à votre infirmière. Ou faites passer le message par la bénévole. Mais n'endurez pas de souffrir, dit Benoît Raymond.

— Je pensais que je partirais vite. Ça fait dix jours que j'attends. C'est long.

Benoît Raymond ressentit un grand tourment. Cette jeune femme n'avait pas trente ans. Béatrice lui dit qu'elle avait eu un cancer du sein qui avait fini par dégénérer en cancer des os. Elle était friable et chaque mouvement la faisait souffrir à tel point qu'elle avait cessé de s'alimenter. On lui faisait boire de l'eau. Et on lui injectait de la morphine à haute dose toutes les trois heures.

— Un autre serait mort avec une telle dose. Linda, elle, résiste à la mort même si elle l'attend voracement. Il faut un élément déclencheur, parfois, murmura Béatrice à Benoît Raymond, de plus en plus touché au cœur par Linda, mais aussi par le mouvement des lèvres roses de l'infirmière.

Imaginer la rencontrer chaque matin et respirer son parfum. Il maudit la mort alors que Linda s'était remise à pleurer, la tête enfoncée dans son oreiller. Une enfant. Une enfant de Dieu, se dit-il avec cynisme. « Laissez-moi entrer ici, et vous allez voir que je ne les laisserai pas souffrir, vos enfants de Dieu, moi ! »

Béatrice entraîna le docteur Raymond dans la cuisine.

— Ici, les bénévoles cuisinent toute la journée. Nos patients n'ont pas trois repas spécifiques, ils mangent ce qu'ils veulent quand ils veulent. On a des congélateurs pleins de sauces, de bœuf bourguignon, de poulet grillé, et dès qu'un malade demande un mets particulier, on le dégèle et on le lui sert, à n'importe quelle heure de la journée. Les membres de leur famille peuvent tout leur apporter. On ne s'occupe pas du cholestérol, du diabète, de la haute pression. On leur donne tout ce qu'ils demandent.

Benoît ne l'écoutait plus et elle s'en rendit compte. Cette femme était un ange. Elle aimait réellement ses patients pour leur statut de citoyens éphémères, pour leur passage si court dans sa propre vie. L'infirmière se tourna vers Benoît et lui dit spontanément :

— Et puis, on se joint à l'équipe des zombies de la *Maison Soleil* ?

Elle laissa couler le silence entre eux.

— Benoît, j'aimerais vraiment ça, ajouta-t-elle en plongeant les yeux dans ceux du jeune médecin.

— Oui, garde Sauvé. Je serai là lundi matin à 7 heures et demie.

& & &

À son arrivée à la *Maison Soleil,* en ce lundi matin de début d'automne, le docteur Raymond se rendit au poste des infirmières pour se présenter et consulter les dossiers des patients. Ils étaient toujours au nombre de sept. Cinq femmes et deux hommes. La jeune Linda y était encore, presque éteinte, mais malgré tout souriante grâce aux opiacés qui soulageaient sa douleur. Les deux hommes avaient fumé depuis leur jeune âge et, en dépit de nombreux programmes pour renoncer à la cigarette, ils n'avaient pas pu cesser. Chacun un cancer du poumon. Jacques et Jean-Paul avaient les deux chambres situées côte à côte à l'ouest de la maison. Linda et Mme Villeneuve occupaient les deux chambres à l'est, et les deux autres dames, atteintes l'une d'un cancer du cerveau et l'autre d'une leucémie, occupaient les chambres situées au deuxième étage tout près des bureaux de l'administration. Le soleil entrait abondamment par les fenêtres et, toujours sur les murs, ces tableaux, ces dessins et ces prières qui représentaient le paradis chrétien. Le docteur Raymond se sentit soudainement très utile. Aider les gens à traverser sereinement cette étape ultime devenait pour lui d'une extrême utilité. Il songea à son père et à cet instant mémorable où ce dernier avait cessé de tenir la bicyclette pour laisser son petit gars la conduire tout seul. C'est ce à quoi la maison des soins palliatifs le faisait penser.

Il commença ses visites par la petite Linda. L'infirmière avait noté que la douleur devenait plus persistante. La dose de Duragesic devait être augmentée, car il semblait que la patiente avait développé une tolérance au médicament, qui agissait de moins en moins. Le docteur Raymond augmenta la dose. Au moment de rédiger la note au dossier, il se mit à penser à l'euthanasie dont parlaient les médias. Oh, comme la puissance des médecins est grande! pensa-t-il. Il suffisait de prescrire une dose plus forte, un peu trop forte, pour que le malade cesse de respirer et finisse de souffrir. Il sentait que lui-même et Dieu vivaient en grande connivence. Linda était une toute petite chose dans la main de son créateur. Une petite chose fragile qui ne méritait pas de tant souffrir. L'infirmière administra le médicament à la patiente.

— Linda, vous m'entendez ? Je suis le docteur Raymond. Nous nous sommes vus la semaine passée. Comment vous sentez-vous, ce matin ?

Linda fixa les yeux sur lui, mais ne sourit pas. Elle demeura silencieuse tout en posant la main sur celle du médecin. Une petite main maigre, traversée de veines noircies par les anciens traitements. Elle ne pleurait pas. Ses lèvres exsangues se craquelaient.

— Il faudrait humecter ses lèvres, dit Benoît en songeant qu'il n'y avait plus rien d'autre à faire pour améliorer le sort de la jeune femme.

L'infirmière prit un bâton avec un embout spongieux, le plongea dans un verre d'eau et en badigeonna les lèvres asséchées. « Ne plus être capable de boire de l'eau. »

— Quand ils ne peuvent plus boire d'eau... ils n'en ont pas pour longtemps, dit l'infirmière qui regretta aussitôt ses paroles devant la petite patiente.

— Je... je vais mourir, prononça Linda. Enfin... Merci, docteur.

Linda exhala un long souffle chargé de la puanteur de la souffrance, puis, fixant le plafond, s'immobilisa pour toujours. Le médecin demeura interdit. L'infirmière sortit en courant. Il ne fallait pourtant pas inquiéter les autres, même si à la *Maison Soleil*, les malades ne se voyaient jamais. Seuls les membres de leur famille tissaient parfois des liens amicaux, comme des parieurs de courses de chevaux. *Le mien mourra le premier.* Une course à la mort.

Benoît Raymond se rendit ensuite au bureau où la vie grouillait en quantité, et où les patients se plaignaient, lui sembla-t-il, pour des peccadilles. Rien ne lui était jamais apparu aussi triste que ces patients en fin de vie. Étonnamment, le médecin voyait la vie sous un tout autre angle.

Ce soir-là, Benoît Raymond but la mer et ses poissons. Il ferma les yeux sur Béatrice Sauvé, se l'imaginant en train de se dévêtir pour venir le retrouver sous les couvertures. Cette jeune femme représentait la vie dans son grand mouroir. La vie qui devait s'afficher sur le grand tableau d'honneur si l'on voulait comprendre la mort.

18.

Prospère Bourgault avala ses anxiolytiques, puis se martela la poitrine en répétant:

— Ma Nicole, ne me laisse jamais tout seul. J'ai besoin de toi avec ce qui m'arrive. J'ai rien fait pour être méchant. Juste fait ce que n'importe quel bon journaliste aurait fait.

Nicole continuait de plier les vêtements frais sortis de la sécheuse. Sa main allait et venait sur les linges à essuyer la vaisselle, aplatissant les plis récalcitrants, formant des petits carrés égaux, et les disposait en piles sur la table.

— Prospy! Arrête de t'énerver. N'importe qui aurait cru ce Claude Lamarre. Avoue que les circonstances ne t'ont pas aidé. Tu as voulu bien faire. Alors, laisse cet avocat faire sa job, dis-lui la vérité et le juge comprendra. Imagine, tu es sur le même pied d'égalité que le journaliste du *Journal du Matin*! C'est pas rien! Ce docteur Crevier a la mèche pas mal courte!

— Je n'aurais pas dû le nommer.

— Tous les médecins de Valrose auraient été soupçonnés si tu ne l'avais pas identifié. Il a été blanchi par son ordre professionnel, ça ne veut pas dire qu'il n'a pas fait du tort à ce petit Félix. Les spécialistes ne s'entendent pas sur les causes de l'Asperger.

Nicole alla porter sa pile de linges pliés dans l'armoire de la salle à manger.

— En vingt ans, tu n'as jamais été accusé de quoi que ce soit. Tu as écrit des milliers de chroniques sans jamais recevoir de plaintes. Tu ne vas pas te suicider pour une seule poursuite qui porte l'attention sur ta carrière. Tu vas voir, le *Journal du Matin* va vouloir t'offrir un poste de journaliste. Tu vas voir !

L'avocat engagé par Prospère Bourgault lui avait été recommandé par l'agence de presse. Maître Dorais était habitué à ces procès dont jamais personne ne sortait gagnant. Une poursuite comme celle de Mathieu Crevier contre Prospère Bourgault alimentait les nouvelles des petits journaux, rehaussait l'orgueil du poursuivant, rétablissait certains faits aléatoires, tapait sur les doigts du plaignant, de même que sur ceux de l'intimé, mais ne réglait strictement rien et se terminait souvent par un règlement hors Cour.

Selon Maître Dorais, cette affaire allait seulement servir d'exemple aux journalistes qui écrivent sur un coup de tête, sans prendre la peine de se renseigner, ce qui pourtant est la qualité essentielle de tout journaliste digne de ce nom. Même d'un auteur de chroniques d'humeur.

Prospère avait passé sa vie à rédiger les chroniques de chiens écrasés pour *La Victoire*, puis pour *L'Envolée*. Comme le disait Nicole, c'était la première fois qu'il se faisait prendre. Il avait en effet été très touché par le récit de Claude Lamarre et s'était fié au fait que le Collège des médecins avait rencontré le docteur Crevier pour écrire spontanément son article. Quant au *Journal du Matin,* aux moyens financiers plus importants, le journaliste-vedette Rémi Tanguay s'en était remis aux propriétaires du quotidien pour assurer sa défense. Ces derniers recevaient plusieurs accusations par année. Étrangement, c'était les équipes de hockey et de soccer qui se disaient victimes de harcèlement et de diffamation de la part des journalistes sportifs. Très rarement des citoyens ordinaires. Le concept du *Parlez de moi en bien ou en mal, mais parlez de moi!* était bien ancré dans la pensée collective des lecteurs. Le docteur Mathieu Crevier était une rare exception.

Prospère Bourgault songeait à toutes sortes de moyens pour obtenir un règlement hors Cour qui pourrait prendre la forme d'une lettre d'excuses dans *L'Envolée*. Il suggéra son idée à son avocat, qui crut que c'était une bonne idée.

— Il faut quand même s'attendre à ce que le toubib ait la dent plus longue. Mais ça vaut la peine d'essayer.

Le lendemain, Prospère Bourgault soumettait sa lettre d'excuses à Maître Dorais. Après sa lecture, l'avocat remit quelques parties de la lettre en perspective. Prospère avait utilisé la forme proposée par Nicole pour l'article sur le petit Félix : il avait utilisé le conditionnel, ce qui ne convainquait personne, surtout pas Maître Dorais.

— Vous écrivez : *Le docteur Crevier aurait été insulté par la teneur de mes propos qui le discréditeraient auprès de ses patients. Je n'aurais pas dû identifier le docteur Crevier...* C'est complètement irresponsable, monsieur Bourgault ! Ça donne l'impression que l'accusation contre le médecin est toujours valable. Autrement dit, si vous ne l'aviez pas nommé, votre article aurait été moins terrible et le petit Félix aurait été moins atteint ? Il faut y aller plus franchement. Au présent de l'indicatif. *Le docteur Crevier a été insulté par la teneur de mes propos qui l'ont discrédité auprès de ses patients.* J'aimerais mieux : *auprès de sa clientèle.*

— Ouais.

— Vous savez, monsieur Bourgault, il faut vous montrer sincère, parce que si le docteur Crevier n'accepte pas vos excuses, on va entrer vous et moi dans un procès long et pénible. Je connais l'avocat de la Protection médicale et c'est un adversaire sanguinaire.

À ces mots, Prospère se mit à trembler. Dans quel merdier s'était-il embourbé ? Il reprit donc sa lettre en y ajoutant un préambule pour situer les lecteurs qui, peut-être, n'étaient pas au courant de toute l'affaire.

— Voyez si le docteur pourrait accepter un règlement hors cour. Vous proposerez ma solution à son avocat. Je m'arrangerai pour trouver la somme nécessaire. Camille Vézina n'acceptera jamais de payer. Il n'a jamais supporté aucun de ses journalistes. Et il a le bras long. C'est un ami personnel de Bilodeau du *Journal du Matin*.

— Vous m'avez dit que vous l'aimiez bien, répliqua l'avocat.

— Quand ça engage des dollars, Vézina se défile toujours. Il me reste trois mois avant de prendre ma retraite. Monsieur Vézina sait que je quitterai mon poste de toute façon. Il se fout de ce qui m'arrive.

— Le journal a des responsabilités envers ses journalistes. Il doit avoir une grosse assurance res-ponsabilité.

— C'est la première fois qu'il a une poursuite. Ce journal rapporte des faits, maître Dorais. Il vit de la publicité. Nous sommes huit journalistes et nous avons été sommés de ne jamais faire de tort à aucun membre du conseil municipal, à aucun commanditaire, à aucun personnage bien en vue. On rapporte des faits, mais on n'exprime pas d'opinions franches. En période d'élections municipales, Vézina donne congé aux plus grandes gueules parmi ses journalistes. Il lit personnellement les articles qui pourraient égratigner ses amis ou les gens influents dans Sainte-Marie. Vous ne savez pas, vous, combien c'est l'omertà dans les journaux ! Autant il faut encenser ses amis, autant Vézina refuse que l'on encense ses ennemis ! La liberté de presse, c'est pour les rats qui bouffent le papier dans l'imprimerie !

— Avez-vous toujours été aussi sévère envers votre boulot ? demanda l'avocat en riant. Et avec Camille Vézina ? Vous deviez pourtant attendre votre retraite avec anticipation.

— En attendant, il faut bien vivre, non ? Et le silence, c'est parfois un petit voyage aux Bahamas dans la grisaille de nos hivers.

Maître Dorais sut que cette affaire ne se rendrait pas en Cour supérieure. Il avait entendu dire par le propriétaire du *Bistro de la Traverse* que la femme du docteur Crevier attendait un deuxième enfant et que le couple était un peu instable. Une poursuite contre les supposés détracteurs du médecin allait, selon toute vraisemblance, avorter dans l'œuf.

& & &

Le mois suivant, Mathieu Crevier retira sa plainte contre Prospère Bourgault et Camille Vézina. À la demande de Stéphanie, et après l'augmentation de sa clientèle, le docteur Crevier se dit que les gens finissent toujours par oublier. Claude Lamarre savait désormais que son fils n'avait pas « attrapé » l'Asperger, et grâce au docteur Cummings, la population en fut largement informée elle aussi. Et c'était ça le plus important.

La grossesse de Stéphanie se déroulait à merveille et, malgré les recommandations de son mari, elle persistait à demander à Jeanne et à William de lui donner des rendez-vous pour ses amis. Sa liste s'était allongée et sa petite enveloppe se remplissait de billets de cinquante dollars à une vitesse accélérée. Bientôt, elle aurait assez d'argent pour acheter le landau anglais *Silver Cross* qu'elle avait vu à près de trois mille dollars et dont elle rêvait bien avant la naissance d'Hubert.

Prospère et sa Nicole partirent en voyage une semaine après l'annonce du procès abandonné dont firent état, avec moult détails, *L'Envolée* et le *Journal du Matin*, heureux de s'en être sortis indemnes. La recension de toute l'affaire fit tout de même des vagues parmi la population. Camille Vézina commanda à ses journalistes un cahier spécial sur l'autisme et les dernières recherches pour aider à un diagnostic de plus en plus précoce. Le cahier spécial s'appuyait sur les nombreux témoignages des spécialistes, dont le docteur Cummings et deux pédopsychiatres de l'Institut pour Enfants. On indiquait aux parents les symptômes qu'il fallait observer, les écoles spécialisées prenant en charge les jeunes autistes, la liste des maisons de répit pour les parents, les nouvelles recherches et méthodes pour bien les entourer et quelques reportages sur des familles vivant avec des enfants Asperger. Un des journalistes avait également répertorié les personnalités célèbres qui avaient souffert d'une forme d'autisme, et cita les noms de célébrités qui avaient vécu avec le syndrome d'Asperger et été des génies, chacun dans leur domaine : Bobby Fisher, champion d'échecs, Glen Gould, fameux pianiste, Lisbeth Salander, héroïne de *Millenium*, et une quantité incroyable de pirates informatiques qui étaient des sommités dans le domaine. *L'Envolée* reçut le prix Paul-Trusser de l'information médicale pour la qualité de ce reportage écrit. Le nom de Prospère Bourgault fut cité pour avoir ouvert la voie à ce genre de cahiers spéciaux. *L'Envolée* en proposa d'autres sur la dystrophie musculaire et la fibrose kystique.

Prospère sortit donc du milieu journalistique avec plus de bien que de mal. Cependant, après son voyage en Amérique du Sud, il se mit à aller très mal. Vomissements, diarrhées sanguinolentes, perte de poids. Nicole téléphona pour l'emmener à l'urgence de Valrose.

Le médecin qui y travaillait ce jour-là était Mathieu Crevier. Nicole hésita, mais finit par faire voir son Prospy au médecin qui avait poursuivi son mari pour diffamation. Elle n'avait pas le choix. C'est Jeanne Beaulieu, à la réception, qui constata la première le comique de la situation. Elle attendit, avant de le lui annoncer, que Mathieu aperçoive le dossier de son patient. Elle le vit se saisir de son nom avant d'ouvrir le dossier de Prospère Bourgault. Il n'y avait aucune ambiguïté. Il sourit, puis appela son patient dans la salle de l'urgence. Il l'accueillit comme une célébrité, presque désolé, et examina le journaliste avec une grande attention.

— Je ne vais pas passer à côté, cette fois.

Le docteur Crevier examina Prospère, puis lui fit ses recommandations. Il lui signa deux requêtes pour l'imagerie médicale : une radiographie de l'abdomen et un scanner.

Quand il reçut les résultats, il fut très impressionné. Prospère Bourgault avait un diagnostic de cancer du côlon avec métastases à l'estomac. Mathieu Crevier eut la triste impression qu'il perdrait bientôt un vieil ami. Il sut que la vie était étrange parfois.

19.

Pierre-André Caron était de plus en plus énigmatique. Il savait entretenir le feu quand il le voulait, et il éteignait la flamme quand cela lui paraissait nécessaire. Fabienne commençait à se demander pourquoi cette indifférence la torturait de manière intolérable. À leur retour des Îles, ils avaient repris leur travail quotidien.

À leur réunion mensuelle, ses collègues constatèrent la transformation fulgurante qui s'était opérée chez Benoît Raymond. Sa tâche matinale en soins palliatifs lui avait fait oublier Carolane, qui l'avait largué pour un pompier athlétique et, surtout, lui avait donné la chance de comprendre qu'il pouvait devenir indispensable. Il avait cessé de boire et avait modifié son attitude envers sa clientèle au bureau. Benoît était méconnaissable. Frais rasé, son sarrau immaculé, les cheveux taillés à la dernière mode et, surtout, il avait une haleine fraîche.

— Mon Dieu, as-tu rencontré la perle rare ? lui demanda Mathieu Crevier.

— J'ai rencontré DES perles rares. Depuis que je suis en soins palliatifs, j'ai compris la grandeur de la vie avec tous ces gens qui la terminent si bêtement.

— Tu n'avais pas encore compris ça ? lui dit Mélissa en riant.

— Vous devriez tous vous impliquer, c'est très valorisant. Il n'y a pas que le bureau qui est gratifiant, affirma le docteur Raymond.

— Tiens, saint François d'Assise qui se réveille ! fit Fabienne.

— Il y a des demandes partout. Tiens, toi, Crevier, tu aimes les femmes ? Il y a le couvent Marie-Apôtre qui cherche un médecin pour ses vieilles sœurs. Pas trop compliqué, des sœurs, ça n'a jamais fait de péchés, c'est des bonnes petites vieilles qui ont passé leur vie à rendre service et à dire des chapelets, ajouta Benoît Raymond.

— On va leur envoyer Pierre-André. Lui, il sera bien au Couvent Marie-Apôtre, lança Mathieu Crevier.

— Je sais qu'à l'hospitalisation, ils veulent augmenter l'équipe, affirma Mélissa.

— C'est rendu à combien ? demanda Fabienne.

— Les gardes sont aux sept semaines, c'est pas la fin du monde. Moi, je vais me proposer, annonça Mathieu Crevier.

— Moi, je vais penser à ça, je fais quand même une dizaine de visites à domicile chaque semaine. Des gens âgés qui ne peuvent pas se rendre au bureau. Mme Bélanger, le père du maire Gagnon, la tante de ma mère. J'aime ça. Ils me font un café et j'en apprends plus assise à leur table de cuisine que dans mon bureau.

— Fabienne, tu t'occupes de l'embauche des deux filles? Jeanne m'a dit qu'il rentre régulièrement des demandes d'emploi. Il doit y en avoir une grosse pile dans le classeur de la réception.

Fabienne soupira. Elle avait souvent le goût de quitter sa responsabilité de gérer les employés et d'embaucher du personnel. Elle devrait procéder encore une fois à la lecture des curriculums, faire les entrevues et, évidemment, se priver de soirées avec Pierre-André.

— J'ai eu la visite d'un représentant de la compagnie Clasmed, s'empressa-t-elle d'annoncer. Un certain Roger Brisebois. Il nous propose d'arrimer les dossiers de nos patients avec la centrale régionale. Nos dossiers papier sont désuets, après seulement deux ans! Cette compagnie fournit à chacun un portable branché sur un logiciel extrêmement précis, qui repère les doublons pour les patients qui voient deux ou trois médecins de famille en même temps, comme monsieur Labrie, que tu connais, Mathieu. Ce système donne accès au dossier personnel de chaque patient, de n'importe quel ordinateur, au dossier pharmacologique et aux résultats de tous les examens. La clinique Dumont et celle de Saint-Damas ont ce système et tout fonctionne comme sur des roulettes. On écrit sur la tablette et toutes les notes s'inscrivent au dossier central. Clasmed offre une formation de dix heures. On serait fous de ne pas embarquer.

— Combien ? demanda Benoît Raymond.

— Six mille pour chaque médecin, incluant la formation, poursuivit Fabienne. Pense aux heures qu'on va sauver. Ça va prendre des secrétaires formées, cependant. Faudra envoyer Éléonore à l'école. Et embaucher une autre secrétaire et quelques personnes pour le transfert des données. Et se débarrasser de nos classeurs. Tout un changement ! En lieu et place, on pourra construire un autre bureau.

— Clasmed vient les former ici, non ? Pensez-y. On n'a pas été brillants si on a cru économiser en fonctionnant comme les vieilles cliniques. Moi, je suis d'accord pour les dossiers électroniques. Toi, Mélissa ? Et toi, Benoît ?

— Six mille, c'est beaucoup d'argent. Il faut payer l'ordinateur à part ?

— C'est déductible d'impôts. En fait, il y a un programme qui rembourse une bonne partie aux cliniques pour installer un système informatique. Je vous le dis, ça vaut la peine.

Ils discutèrent de l'embauche de nouvelles employées, de Toni Cavalleri et du relâchement dans son ménage, du prix à la hausse des spéculums, et du remplacement de la réceptionniste de week-end.

— Jeanne m'a proposé la plus jeune de ses filles. Elle est au cégep en techniques vétérinaires. Sophie achève son cours et aimerait travailler pour nous. Je l'ai comme patiente et je crois que ce serait une belle acquisition pour Valrose. Je la connais assez bien, vous ne serez pas déçus.

— Je suis d'accord, dit le docteur Raymond.

— Moi aussi, ajouta Mélissa. À la condition qu'elle soit discrète. Tu lui diras, Fabienne Lanthier.

— J'acquiesce, déclara le docteur Crevier en riant.

— Dernière chose : êtes-vous satisfaits d'Éléonore ? demanda timidement Fabienne.

Les autres se regardèrent. Le fait que la secrétaire médicale soit aussi la sœur de son amoureux pouvait agacer la docteure Lanthier. Tous avouèrent qu'Éléonore Caron était une merveille de secrétaire. Les commentaires élogieux fusèrent et c'est dans une cacophonie de voix d'enfants d'école que se termina la réunion.

Le lendemain, après une bonne nuit de réflexion, Mathieu Crevier se rendit au centre hospitalier afin d'offrir sa participation aux équipes de garde pour l'hospitalisation. La garde s'étendait sur toute la semaine, y compris les week-ends. En plus de la garde à la clinique Valrose, sa tâche de médecin de famille se complexifiait. Il était très heureux que Stéphanie lui donne un deuxième enfant. Hubert, lui, parlait de son petit frère à toutes les heures du jour. Il fréquentait toujours la garderie *Les Petits Bonshommes* afin de conserver sa place ou de la céder à son petit frère. Stéphanie le gardait souvent à la maison et, étrangement, Hubert faisait de prodigieux progrès sur le plan du langage, du développement cognitif et de l'estime de soi. Le docteur Crevier avait nettement l'impression que la maison devenait une aire d'équilibre et de stabilité pour son petit garçon et qu'il était temps pour lui-même de s'impliquer davantage dans les activités tournant autour de la pratique de médecine familiale. Plusieurs activités le tentaient. L'urgence exigeait quelqu'un de plus téméraire que lui, les soins coronariens étaient angoissants, l'obstétrique l'obligeait à des stages supplémentaires, les associations médicales régionales étaient constituées de vieilles barbes et les comités du centre hospitalier se tenaient trop tard, alors qu'il aurait fallu qu'il s'implique davantage auprès de ses enfants, selon Stéphanie.

Ce jour-là, il se rappela que Stéphanie avait son rendez-vous à la clinique privée pour son échographie fœtale à 16 heures. Il avait demandé à Jeanne de reporter ses patients à une autre plage horaire. Il ne pouvait pas rater l'échographie et cette occasion de connaître le sexe de son enfant. Cela lui fit penser qu'en travaillant à l'hospitalisation, il pourrait se tenir plus loin des activités de la maison, surtout le matin. Stéphanie comptait beaucoup trop sur lui. Il cherchait à échapper à toutes ces responsabilités qui convenaient à une mère au foyer.

Les collègues des cliniques de la région accueillirent la nouvelle avec enthousiasme. Mathieu Crevier avait la réputation d'être un excellent médecin de famille et sa présence dans un des groupes d'hospitalisation allégerait la charge des autres.

& & &

La radiologue-échographe Elsa Marchand, fin trentaine, affichait une joie de vivre inestimable. « Les bébés, c'est mon affaire », se plaisait-elle à dire. Les échographies faisaient partie de son quotidien ; cependant, celles qui montraient aux parents le sexe du bébé mais aussi les malformations pouvaient faire toute la différence.

Stéphanie et Mathieu entrèrent dans la petite salle nickel où l'appareil et l'écran remplissaient tout

203

l'espace. Une chaise sur roulettes et deux fauteuils pour les membres de la famille.

— C'est une belle journée, aujourd'hui, n'est-ce pas ? dit la docteure Marchand. Vous allez bien ? Ma secrétaire m'a dit que vous étiez médecin à Valrose.

— Je suis très nerveuse, glissa Stéphanie en mettant le plat de sa main sur son abdomen à peine distendu.

— Allongez-vous. Vous avez dit que vous vouliez le 3D ?

La docteure Marchand procéda à l'échographie. Elle enduisit l'abdomen de gel et promena la sonde dans tous les sens, tout en commentant sans arrêt. La radiologue décida de procéder avec un certain humour pour annoncer aux parents ce qu'elle voyait.

— Ah, non !

— Quoi ? Mais qu'est-ce qui se passe ? s'inquiéta Stéphanie.

— Il... mais oui, le bébé a les deux sexes ! ajouta Elsa Marchand d'un ton convenu.

Mathieu, d'abord ébranlé, venait de tout comprendre et décida de se prêter au jeu.

— Mais oui, ma chérie. Deux sexes. On les voit bien ici. Une vulve et un tout petit pénis. C'est quand même mieux qu'un bébé à deux têtes.

Stéphanie s'étirait le cou pour bien voir et surtout comprendre ce qui lui arrivait.

— Ne me dites pas qu'il y en a deux !

204

Mathieu et la docteure Marchand riaient, de connivence. Lui, cependant, était interloqué, de plus en plus interdit à mesure que l'image se précisait.

— Mais oui, Mme Latraverse, vous avez des jumeaux, un garçon et une fille. Ils sont bien formés, ils gigotent en masse! Ah, que je suis contente pour vous!

— On va les appeler Jonathan et Félixe. Qu'est-ce que tu en dis? lança Stéphanie à Mathieu pour le sortir de sa torpeur.

— Ne me parle plus de ça! lança-t-il.

Puis il posa l'oreille sur le ventre de sa femme et le bécota avec une infinie tendresse tout en lui tenant la main. La docteure Marchand s'éloigna du jeune couple et se mit à jouer avec les images, à appuyer sur des boutons, à tirer des manettes. Stéphanie pleurait doucement en tenant son ventre comme si elle voulait protéger un gros trésor.

— Je t'aime.

C'est tout ce que Mathieu était capable de dire. Il prit le CD que lui tendait la radiologue et se rendit à la réception pour régler les frais. Il saluait les nouvelles techniques de l'imagerie médicale qui lui permettraient de voir en trois dimensions les deux petits êtres au début de leur vie intra-utérine. Ses jumeaux. Hubert en aurait assez pour combler son ambition. Il avait hâte de montrer son petit frère et sa petite sœur au petit Hubert, lui qui avait servi à tenir son couple soudé. Il imaginait quelle vie ce serait d'être désormais cinq dans la famille. Pas de garderie.

— Chérie, j'embaucherai une nounou à la maison. Ça vaut la peine, tu ne crois pas ?

— Je t'aime, moi aussi, conclut-elle.

Stéphanie était certaine que, souvent, les enfants pouvaient aider un couple à revivre malgré les nuits blanches, les petites jalousies du grand frère, les courses effrénées contre la montre. Elle avait hâte de montrer le CD à ses parents. Ils allaient sûrement donner un souper fastueux au restaurant pour célébrer la grande nouvelle. Deux Latraverse d'un seul coup !

& & &

C'était la fin de semaine de garde du docteur Crevier. Stéphanie irait chez ses parents avec Hubert. C'était aussi la première fin de semaine de Sophie Beaulieu Cauchon comme réceptionniste. Éléonore lui avait transmis quelques notions importantes tout en lui recommandant de ne jamais s'énerver et de ne surtout jamais divulguer au téléphone le nom du médecin qui était de garde. Elle avait dit :

— Il y a des patients qui attendent que ce soit leur médecin pour venir le consulter la fin de semaine. Et qui restent chez eux si c'est un médecin qu'ils n'aiment pas pour toutes sortes de raisons. Ils en inventent beaucoup, tu sais. Il y a encore plein d'hommes qui ne veulent pas consulter une femme, mais à l'urgence, ça arrive moins souvent. Si tu nommes le médecin de garde, c'est le moins populaire qui se retrouve avec un plus petit nombre de patients et le contraire est aussi vrai. Alors, tu dis que tu n'as pas le droit de dévoiler le nom du médecin de garde. S'ils veulent le savoir, ils n'ont qu'à se présenter. À part ça, tu as le droit de refuser d'inscrire un patient qui vient pour un bobo qui date de cinq ans. L'urgence, c'est l'urgence.

— Ma mère m'a tout dit ça. Elle veut tellement que je fasse bien mon boulot!

— Ta mère est une excellente réceptionniste. Tu peux suivre ses conseils.

Quand elle arriva à la clinique, Sophie s'aperçut qu'il y avait une demi-douzaine de patients qui attendaient devant la porte. Ils discutaient entre eux et riaient sans remords. Quand ils virent Sophie, la clé à la main, entrer puis désactiver le système d'alarme pour laisser pénétrer les premiers patients, elle perçut quelques trépignements. Tous ces inscrits allaient certes occuper le docteur Crevier au moins jusqu'à midi.

À 10 h 10, ils étaient assis dans la salle d'attente comme les joueurs d'une équipe de foot avant le botté de placement, pour accueillir le docteur. Mathieu entra à 10 h 37, sous une haie de soupirs impatients. Le médecin se rendit dans la première salle de l'urgence, se coula un café, parcourut le dossier du premier patient que lui tendait Sophie. Il lut : *Nicole Morin Bourgault* et il fut très inquiet. Il reconnut la veuve du journaliste Prospère Bourgault de *L'Envolée* et se demanda pourquoi diable elle venait le voir alors qu'il était de garde. Il se dit que c'était une des conséquences collatérales de l'idée de Fabienne Lanthier d'interdire aux réceptionnistes de divulguer le nom du médecin de garde. Il craignait aussi la réaction de Mme Bourgault devant les autres patients. Il prit une goulée d'air et ouvrit enfin la porte. Il sortit timidement la tête et appela Nicole Morin Bourgault.

En apercevant le docteur Crevier, elle n'eut aucune réaction, comme si elle savait qu'il était là et que c'était ce qu'elle souhaitait.

— Bonjour, madame. Qu'est-ce qui se passe aujourd'hui ? risqua-t-il pour briser la glace.

— Je crois que j'ai un trouble de l'anxiété, docteur. Je ne me remets pas de la mort de Prospère (elle insista beaucoup sur cette phrase). Au moment où je m'y attends le moins, je me mets à avoir des frissons, des tremblements assez importants pour que les gens le remarquent. Je n'arrive pas à respirer. Vous comprenez, je ne peux pas vivre sans lui. Ça faisait presque quarante ans qu'on était ensemble.

Mathieu se mit à penser qu'il était marié avec Stéphanie depuis cinq ans et que, parfois, il trouvait que c'était une longue période. Il se mit à s'imaginer, lui et sa conjointe, vieillis, arthritiques et gâteux alors qu'ils seraient mariés depuis quarante ans.

— En effet, quarante ans, c'est pas rien. Ce doit être difficile de vous habituer à vivre seule… je veux dire… sans lui. Je vous offre mes condoléances.

— Il allait prendre sa retraite deux jours après. Le docteur Turgeon s'est bien occupé de Prospère et moi, j'ai eu quand même le temps de régler bien des choses avec mon mari. Mais je me rends compte maintenant que… je ne vivrai jamais sans lui. J'ai mis des photos de lui, de nous, partout dans la maison. J'ouvre le frigo, j'ai Prospère dans la face qui me sourit. J'ai son bracelet suspendu à mon rétroviseur, je lui parle tout le temps. Je lui demande ce qu'il veut manger pour le souper et je lui cuisine ses plats préférés. Vous… vous pensez qu'il a attrapé son cancer à cause du procès, docteur Crevier?

— Vous voulez dire qu'il aurait survécu si j'avais accepté ses accusations sans réagir? Les médias m'ont accusé à tort comme vous le savez et j'ai vu mes horaires de bureau se libérer tout à coup. Vous oubliez, madame, que j'ai interrompu ma poursuite. C'était dans les médias. Ce qui est arrivé à votre mari après, ça relève de sa propre conscience.

Madame Bourgault souriait en fixant Mathieu.

— C'est de votre santé qu'il s'agit, non? On va s'occuper de votre dépression.

— Je ne fais pas une dépression, docteur Crevier! cria-t-elle. Je ne peux pas vivre sans mon mari, est-ce assez clair?

— Calmez-vous. Je comprends très bien votre stress. Tous les couples vivent une situation comme la vôtre et celui qui reste finit toujours par s'en sortir avec l'aide de...

— Je ne veux être aidée par personne.

— Pourquoi alors êtes-vous venue me voir, à l'urgence en plus?

— J'avais peur que vous ne vouliez pas me voir autrement. Puis, il y a des semaines d'attente à votre cabinet. Et c'est vous que je voulais absolument voir.

— Je comprends. Je vais vous prescrire des anxiolytiques. Y a-t-il un endroit où vous pourriez aller passer quelque temps pour vous changer les idées? Une parente, une cousine, un...

— Arrêtez, docteur Crevier! Je ne veux pas aller me consoler chez quelqu'un d'autre. Vous ne comprenez pas le français? Je ne veux pas vivre sans mon mari. Prospy m'attend en haut. Vous savez, il est juste devenu invisible. Pas mort, juste invisible.

— Je vous prescris des médicaments, Mme Bourgault. Et revenez me voir dans trois semaines. Je vous accepterai à mon cabinet. Pas de problème.

La patiente sortit du bureau avec l'enthousiasme d'un zombie. Le docteur écrivit dans la partie « diagnostic » de son formulaire : *patiente suicidaire* +++.

Une semaine plus tard, au petit déjeuner, Stéphanie se mit à crier : « Loup, la femme de Prospère Bourgault est morte. C'est écrit ici dans la page des décès. Tu parles d'une histoire ! »

Mathieu s'approcha d'elle, la prit dans ses bras et l'embrassa mille fois.

— Mon Dieu, loup ! Qu'est-ce qui se passe avec toi ?

— C'est dangereux de trop s'aimer, pourtant. Mais je prends quand même le risque de durer au moins quarante ans avec toi

20.

Béatrice Sauvé était dans tous ses états : la *Maison Soleil* allait fermer ses portes. Le beau rêve d'un groupe de bienfaiteurs de permettre à des malades en phase terminale de mourir entourés de membres de leur famille — qui devaient assurer une présence auprès de leur agonisant — venait de prendre fin. Il n'y avait plus d'argent pour embaucher deux autres infirmières et celles qui y travaillaient ne suffisaient plus à la tâche. Les coûts des soins et des besoins matériels dépassaient de loin le budget de la *Maison Soleil*.

Le CRSSS s'était réuni et avait décidé qu'il fallait fermer plutôt que de s'enliser. Béatrice Sauvé avait consenti une baisse de salaire et s'était mise à intensifier les demandes de dons de charité en proposant aux familles des défunts qui se succédaient à la vitesse de l'éclair, de suggérer un don à la maison de soins palliatifs plutôt que des fleurs. Très peu de familles qui avaient accompagné un proche durant les quelques jours ou les quelques semaines de leur fin de vie, donnaient un montant substantiel à l'équipe. Cette fois, la vie allait en décider autrement…

Il ne restait que deux femmes pour occuper deux des six chambres de la maison. Une seule infirmière et une préposée le jour. Béatrice comptait sur les proches pour assurer les veilles de nuit. Ces patients n'avaient pas besoin de grand-chose. Aux soins palliatifs, on cessait toute autre médication, on contrôlait la douleur, et on apportait tout l'amour possible. Une pression de la main, un linge frais sur le front, une écoute généreuse ou des repas sur demande constituaient la sollicitude nécessaire à une sortie sereine. La générosité, quand il lui arrivait de s'exposer, démontrait qu'un proche avait au moins terminé sa vie dans l'amour du prochain qui faisait parfois oublier tous les tracas passés. Béatrice était très consciente de cela.

Quand elle aperçut le docteur Raymond, ce matin-là, elle tomba dans ses bras en pleurant.

— Je ne peux pas laisser tomber, docteur Raymond. Il faut faire quelque chose! Le président de notre conseil d'administration fait tout ce qu'il peut.

— Il a des parts dans l'affaire. Un propriétaire de maisons funéraires a intérêt à ce que ses morts soient bien traités, dit Benoît pour la faire rire. Pour vrai, tu ne trouves pas ça un peu bizarre qu'un pareil mouroir soit commandité par les Salons funéraires Clairoux? Surtout qu'il est le seul dans la région. Le message est un peu tordu: « Mourez heureux, nous on va s'occuper de votre dépouille! »

— On ne peut pas lever le nez sur les raisons qui motivent nos donateurs, docteur Raymond, ajouta Béatrice en riant.

Comme elle était belle ! Benoît Raymond aimait les filles saines, sans maquillage, *portant la tresse, là sur le côté*, comme le chantait Félix Leclerc. Elle n'était ni mince ni ronde. Juste correcte. Elle n'avait pas les cheveux blonds, mais très noirs. Un fil argenté se faufilait de temps à autre dans sa chevelure tirée vers l'arrière et ses dents droites et serrées lui conféraient un air de couventine. Béatrice ne semblait pas être attirée par lui, au grand désarroi du médecin. Elle était trop préoccupée par la fermeture potentielle de la *Maison Soleil*. Cinq demandes venaient d'entrer. Des familles éplorées désiraient que leur parent cancéreux termine sa vie dans l'amour.

— On ne peut pas les laisser dans une chambre d'hôpital, c'est inhumain ! ajouta-t-elle en pleurant.

Benoît Raymond en avait vu de toutes les couleurs, mais il ne pouvait nullement résister à une femme qui pleure aussi joliment. Il la prit contre sa poitrine en lui flattant les cheveux qui sentaient les amandes. Comme il souhaitait qu'elle l'aime ! Béatrice était mariée à un professeur d'anglais depuis deux ans mais, pour le docteur Raymond, ce n'était pas un obstacle.

— Une campagne de financement ? lança-t-il. Un bingo ? Un concours de jeu de poches ?

— Arrête, ce n'est pas drôle!

— D'accord. Alors, je vais te trouver des donateurs. T'as besoin de combien et pour quand?

— Le comptable m'a dit que nous étions dans le rouge. Ça prendrait vingt mille dollars pour… pour hier, expliqua-t-elle, découragée.

— En attendant, tu veux qu'on aille au restaurant pour en discuter? Chez *Da Camillo*. On pourrait écrire les priorités. C'est toujours préférable d'écrire ses priorités en agréable compagnie, tu ne penses pas?

— Jusqu'à 14 heures, parce qu'après, je dois aller conduire ma belle-mère chez le dentiste. Je le lui ai promis.

— Je respecte votre horaire, Mme Sauvé! dit-il avant de l'inciter à quitter la Maison.

Benoît Raymond était certain qu'une brèche venait de s'ouvrir et que Béatrice était une femme libérée. Il fallait trouver des arguments pour réussir à la conquérir.

Da Camillo avait un éclairage juste assez faible pour que le docteur Raymond ne puisse déceler la nervosité de Béatrice. Elle avait laissé un message au bureau de Charles, au cégep où il enseignait pour lui dire qu'elle n'aurait pas le temps de faire l'épicerie, mais qu'elle n'oublierait pas d'aller chercher sa belle-mère pour son rendez-vous. Elle se demanda pourquoi il y avait dans sa voix un filet d'insécurité comme chez un enfant qui va faire un mauvais coup. Elle se sentait très bien avec Benoît Raymond. Elle appréciait son humour, sa manière de se vêtir, ses cheveux en broussaille, sa voix radiophonique. Elle se sentait étrangement bien en sa présence. Elle n'avait pas l'intention d'entreprendre des relations plus intimes avec le médecin, mais ne voulait pas fermer la porte à l'aventure.

& & &

— J'ai trouvé de l'argent, Béatrice ! Des gens généreux. J'ai ici trente mille dollars !

— Quoi ? Mais c'est un miracle. Où as-tu eu cet argent ?

— Mes collègues m'ont donné deux mille dollars chacun, et un donateur anonyme a fourni le reste. Il a demandé de ne pas divulguer son nom.

— Allez, dis-moi qui c'est !

— J'ai promis.

— Je n'en reviens pas ! Imagine ce qu'on pourra faire avec trente mille dollars ! J'appelle le comptable tout de suite.

— Ce n'est pas tout. La femme d'un de mes amis m'a proposé de s'occuper d'une campagne de financement. La *Maison Soleil* pourra survivre encore quelques

216

années. Survivre pour aider les autres à mourir, c'est un peu paradoxal, non? Personne ne peut être contre un tel projet, Béatrice. Si je le pouvais, je demanderais à tous les citoyens d'aller passer cinq minutes avec ces malades. C'est quand on est en vie et qu'on aperçoit la mort derrière la fenêtre qu'on comprend le drame. Notre société fait tout ce qu'elle peut pour faire naître les enfants, mais personne n'est prêt pour la sortie. On est si petits devant l'immense gouffre que représente la mort.

— Tu parles tellement bien. Tu as songé à écrire de la poésie? J'aime ta vérité, j'aime ta philosophie de la vie. Si tous les hommes étaient comme toi!

— Si toutes les femmes étaient comme toi, tu veux dire. Avec le féminisme, les hommes ont cessé de vouloir séduire par les beaux discours poétiques. Ils ont bien trop peur d'être accusés de harcèlement sexuel. Plus moyen de démontrer aux femmes qu'on les désire. Nous sommes devenus des petits toutous que les femmes tiennent en laisse, auxquels elles grattent les oreilles et qu'elles déposent par terre quand elles en ont assez. Mon grand-père, lui, il savait séduire: porter le sac d'école, emmener sa blonde boire un cherry Coke, lui écrire des lettres passionnées, l'inviter au cinéma et la peloter tendrement. Aujourd'hui, les filles vont au restaurant ensemble, elles boivent du scotch devant un film à la télévision et elles se... Les temps ont changé.

— Qu'est-ce qui a changé?

— Si, par exemple, je te dis que tu me plais, tu vas me faire un sermon. Tu es mariée, tu ne veux pas que je te trouve de l'argent pour la *Maison Soleil* si c'est pour coucher avec toi et toutes sortes de trucs incroyables.

— Ah, ce n'est pas vrai?

— Pas du tout! Je ne te connaissais même pas quand je me suis engagé dans les soins palliatifs. Je te l'ai dit: ça change un gars d'aider les gens à mourir. Surtout les enfants. Si t'es pas humain après ça… Tiens, je devrais envoyer Pierre-André Caron, ça le changerait.

— Quand m'inviteras-tu à boire un cherry Coke?

— Eh bien, la charrue avant les bœufs!

— Voyons, ça fait longtemps que la charrue fait le travail sans les bœufs, docteur Raymond!

Il était abasourdi. Béatrice avait pris les devants et il n'allait pas rater sa chance.

— D'accord. Demain midi, je t'emmène manger une pizza et boire un cherry Coke. Et si t'es gentille, je vais peut-être te proposer de coucher avec toi.

Béatrice demeura muette devant tant de hardiesse de la part de son confrère. Elle se dit qu'elle était prête à tout faire pour garder sa maison de soins palliatifs. Les patients ne méritaient pas de la perdre. La proposition de Benoît était claire, précise, même si elle avait été énoncée sous le couvert de l'humour. Il lui plaisait et

Charles, le professeur d'anglais, n'était pas le meilleur amant. Il était ennuyeux comme la pluie. Et il ne se préoccupait jamais de la souffrance des autres.

21.

C'était un matin frisquet qui annonçait l'hiver. Les arbres avaient perdu leur feuillage et au-dessus des pelouses flottait un léger nuage de brume comme on pouvait en voir dans la galerie de photos sur le canal Météo. Fabienne n'aimait l'hiver que lorsqu'elle était en vacances. La sloche, les bancs de neige, le sel à déglacer, le froid mordant la rendaient agressive. Outre la température, une chose la remplissait d'inquiétude. Pierre-André Caron se faisait rare et quand ils se croisaient à la clinique, il avait un regard fuyant qui la rendait triste. Même Mélissa s'était rendu compte que ça n'allait plus entre eux. Quand Fabienne lui demandait s'ils allaient passer la soirée ensemble, Pierre-André avait toujours une réunion ou un rendez-vous. Ces périodes d'indépendance étaient aléatoires: elle pouvait aussi bien le voir entrer dans son bureau, après la fermeture, et lui sauter dessus en lui jurant qu'il l'aimait à la folie. Elle était déstabilisée par son manque de régularité. Quelque chose n'allait pas chez ce bonhomme.

Jeanne annonça à la docteure Lanthier que son horaire était rempli mur à mur jusqu'à 18 h 30, ce qui signifiait que Fabienne ne sortirait de la clinique que vers 21 heures. Elle devait scruter la pile d'analyses sanguines de ses patients, rappeler ceux qui avaient un ou plusieurs résultats douteux. Pour les analyses normales, elle faisait appeler Éléonore.

Elle vit treize de ses patients réguliers et quatorze nouveaux. Ces derniers nécessitaient une longue entrevue avant l'examen complet majeur afin d'établir un portrait réaliste. De plus, elle n'était pas encore habituée aux méthodes proposées par Clasmed, comme écrire les remarques et les diagnostics à mesure sur son petit ordinateur à l'aide d'un stylet électronique.

Son dernier patient ressemblait étrangement à la description d'Hercule Poirot par Agatha Christie. Grassouillet, pas très grand, monsieur Baugniez portait la moustache et son visage était celui d'un chérubin joufflu. Il était atteint de rosacée et Fabienne aurait juré qu'il était alcoolique. Il ressemblait à Poirot, mais, surtout, il était belge, arrivé au pays en 1967, année où il y eut un afflux massif d'immigrants à la faveur de l'Exposition universelle de Montréal. La chanson *Un jour, un jour, quand tu viendras, nous t'en ferons voir de grands espaces*, avait ouvert les portes aux visiteurs étrangers, séduits par le Québec. Rodolphe Baugniez consultait la docteure Lanthier pour de petites affections plus dérangeantes que douloureuses. Sans qu'elle le lui demande, son patient l'informa qu'il était détective. Fabienne faillit s'écrouler sur le sol. Un détective, comme Poirot! Comme si, du haut du ciel, Agatha Christie lui envoyait son aide. Fabienne avait lu tous ses romans, dont ses deux préférés, *Le Crime de l'Orient Express* et *Les Dix petits nègres*. Quand elle eut fini d'examiner la gorge et les oreilles de son patient, Fabienne demanda sans trop réfléchir :

— Vous demandez combien pour une enquête privée ?

— Mais qui vous fait du mal, ma docteure ? Ça dépend. Je fonctionne à soixante-quinze dollars l'heure et une charge additionnelle selon les résultats que j'obtiens. Ainsi, cela me paraît plus juste.

Fabienne réfléchissait pendant que M. Baugniez se rhabillait et posait quelques questions sur des médicaments qu'il avait du mal à supporter.

— Où est votre bureau ?

— Ici, à quelques mètres, sur le boulevard Notre-Dame, le 3111.

— Je vais appeler votre secrétaire pour un rendez-vous, monsieur Baugniez.

— Oh, c'est ma femme qui répondra. Voici ma carte. J'ai des disponibilités par douzaines. Vous comprenez, les gens cherchent tout seuls maintenant. Ils n'ont plus besoin d'un vieux renifleur comme moi. J'ai bien quelques clientes qui surveillent leur mari et là, si je puis dire, je tire en plein dans le mille à chaque enquête, nom de Dieu! Elles ont du flair, les gonzesses!

— Je vous appelle. Voici votre ordonnance d'Alfuzosin. Ça devrait améliorer vos problèmes de prostate. Je vous revois dans six mois pour votre santé et dans quelques jours pour la mienne, ajouta Fabienne en riant.

Quand elle y repensa, elle se sentit très anxieuse à l'idée d'espionner la vie privée de Pierre-André, mais elle se dit qu'elle devait savoir ce qui se passait avant de continuer dans cette voie. Il était trop changeant et lors de ses périodes d'extrême indépendance, Fabienne n'arrivait plus à être vigilante comme elle l'aurait dû auprès de ses patients. Elle les écoutait, mais ne trouvait plus d'intérêt à les soigner. Mélissa avait remarqué le caractère de sa copine qui fluctuait au gré des sautes d'humeur de Pierre-André Caron.

— Laisse-le pendant que tu peux encore le faire. Il est trop étrange.

— J'y pense, ne t'en fais pas.

Puis elle lui raconta qu'elle avait pris un rendez-vous avec un détective privé qui allait peut-être l'informer des aspects sombres de la vie du docteur Caron.

— Rappelle-toi qu'il ne voulait pas travailler le vendredi. Il avait oublié de nous dire qu'Éléonore était sa sœur, puis qu'il avait pratiqué en Haïti. Je veux savoir si tout ça est vrai, dit Fabienne.

— J'ignorais qu'il y avait encore des détectives privés.

— Oui, je suis tombée sur Hercule Poirot, en personne.

— J'espère que tu ne vas pas te brûler les ailes, mon amie. Tu sais, quand on s'approche trop près de la vérité…

— Ne t'en fais pas. Je vais faire attention.

Le bureau de Rodolphe Baugniez tenait dans un petit salon chichement éclairé, qui n'était percé que d'une seule fenêtre recouverte de tentures lourdes et sombres. Madame Baugniez ne devait pas avoir de goût pour la décoration intérieure. Fabienne ne s'en formalisa pas trop. Si elle se fiait aux fleurs de plastique bleues installées sur le balcon alors que le temps était à la neige, ces gens aimaient le factice, sans doute.

Sur le chambranle de la porte joliment sculptée, elle put lire : *Rodolphe Baugniez, détective privé en tous genres*. Cela ressemblait davantage à une vieille affiche qui avait dû être utilisée jadis sur la porte extérieure d'un vrai bureau de détective quand ces étonnants fouineurs avaient beaucoup de bonnes raisons d'exister.

Fabienne eut soudain honte de se trouver là et imagina la rage de Pierre-André Caron s'il apprenait que son amoureuse doutait de lui.

Madame Baugniez la reçut avec un large sourire de reconnaissance. Vêtue d'un tailleur sombre sur lequel elle avait jeté un châle de lainage, elle souhaita la bienvenue à la docteure de son mari, puis cria sans retenue : « Rodolphe ! »

Il entra aussi promptement que s'il jouait dans une pièce de théâtre, préparant son entrée sur la scène derrière une porte.

— Docteur, venez vous asseoir. Ma mie, tu veux bien apporter la cafetière.

— Tout de suite, monsieur, dit-elle en prenant le manteau de Fabienne, son foulard et son sac.

Fabienne, qui avait l'impression d'être tombée dans un film d'un autre siècle, émit un petit rire nerveux. Monsieur Baugniez l'invita à se caler davantage dans le fauteuil, lui prédisant que cet entretien pourrait prendre des heures.

— De quel genre d'affaire s'agit-il ?

Fabienne se mit à raconter les attitudes bizarres de Pierre-André, après lui avoir brossé un tableau de la situation qui prévalait entre eux, ses élans de passion qui contrastaient avec ses grandes périodes de froideur.

Elle lui parla comme à un père, s'étonnant elle-même d'avoir autant confiance en ce vieux détective. Elle n'oublia pas les moments de désarroi qui faisaient en sorte qu'elle en perdait le goût de vivre.

— Vous semblez ne pas connaître sa vie privée. Sa famille, son enfance, son passé. Ce sont pourtant des choses inévitables que l'on raconte à son amoureux, non ?

— Il a ses parents et un frère, mais je ne les connais pas. Il a une sœur, Éléonore, qui est notre secrétaire médicale. Nous ne nous sommes pas souvent parlé, comme s'il y avait une loi du silence entre elle et moi. Pas plus loquace que son frère. Éléonore est très discrète, elle aussi. Je sais qu'elle a récemment divorcé, car elle ne porte plus le nom de son mari.

Quand Fabienne regarda l'heure, elle s'aperçut que ça faisait plus de deux heures qu'elle parlait, trois cafés qu'elle buvait et dix pages de notes que monsieur Baugniez avait consacrées à son histoire. Il leva la tête, la regarda dans les yeux et dit :

— Vous allez me remplir ces deux formulaires d'informations. Je dois aller faire des appels importants. Tenez, installez-vous à mon écritoire. Vous serez plus à l'aise. Je reviens dans dix minutes.

Elle écrit tout ce qu'elle savait : numéro de téléphone à Valrose, date de son arrivée, son adresse, le nom de ses connaissances, l'ensemble de ses activités, ses goûts, le peu qu'elle savait de lui, en fait. Elle passa sous silence sa sensualité, sa culture générale, ses longues jambes, ses lèvres pulpeuses, mais ne put faire autrement que d'y penser.

Elle quitta Rodolphe Baugniez en se disant qu'il n'allait probablement rien trouver.

Lorsqu'elle reçut l'appel urgent du détective, Fabienne procédait à un examen gynécologique et ne put que lui dire qu'elle le rappellerait aussitôt sa patiente partie. M. Baugniez répliqua qu'il l'attendrait chez lui dès qu'elle aurait terminé à la clinique. Ce ne pouvait être qu'après 20 heures. Elle serait là.

Le reste de la journée, Fabienne ne pensa qu'à cette rencontre, échafaudant d'horribles histoires d'homme marié qui avait une maîtresse ou, pire, de faussaire qui avait acheté son diplôme d'omnipraticien sur Internet. Tous ces scénarios étaient valables et pouvaient expliquer l'ambivalence de Pierre-André. Elle savait qu'elle l'aimait assez pour interrompre leur relation si nécessaire. Elle n'avait pas trente ans et avait le temps de rencontrer un homme avec qui fonder une famille.

Fabienne arriva chez le détective à 20 h 30 et des poussières. Il l'attendait avec impatience. Il installa sa cliente confortablement et posa devant elle un verre de rouge et un sandwich au jambon.

— Je m'en suis fait un et j'ai pensé que vous seriez affamée. Le vin, c'est celui de mon beau-frère Anatole. Vous en faites pas, il est pas belge, il est bourguignon et sait comment faire le vin. Il a des vignes dans les Cantons-de-l'Est.

Il déposa la bouteille de Château Clovas à peine entamée, et plaça ses paperasses, son portable et son cahier de notes bien à sa portée. Fabienne était nerveuse. Elle prit une gorgée de vin, fixa distraitement son sandwich, mit la main à plat sur la table et attendit.

—Ben voilà. Je ne passerai pas par quatre chemins. Nous avons affaire au caporal Peter Andrew Cameron, entré dans l'armée canadienne il y a dix ans, envoyé à Port-au-Prince le 13 janvier 2010, le lendemain du séisme qui a fait tant de morts parmi les civils. J'ai ici une copie de la liste des soldats qui ont été envoyés sur place. Il s'est installé à Jacmel dans un ancien hôtel, avec cinq autres compagnons. Il a été chargé d'un petit dispensaire dans la capitale, car, comme médecin, l'armée lui a confié les cas urgents, les constats de décès, l'inventaire du matériel.

Après être demeurée interdite durant presque cinq minutes, Fabienne finit par réagir, elle qui croyait que les détectives étaient une denrée périmée et que, comme ses propres recherches sur Internet ne l'avaient menée nulle part, elle n'avait guère plus de chances d'en apprendre de la part de Rodolphe Baugniez. C'était mal le connaître. À environ soixante-dix ans, le vieux « renifleur » avait mis à peine quelques jours pour trouver l'erreur.

— Je n'en reviens pas. Pourquoi a-t-il changé de nom ?

— Mais pas du tout, il n'a pas changé de nom ! Son vrai nom est bien Pierre-André Caron, né à la paroisse Saint-André-de-la Croix il y a quarante-trois ans. C'est l'armée qu'il a réussi à flouer. Il a fait ses études en médecine à Ottawa pendant qu'il était dans l'armée. Il a bien réussi. Un excellent élève. Il s'est marié avec… avec… attendez un peu…

Fabienne avait les yeux aussi étonnés que bouleversés. La question qu'elle craignait le plus. Était-il marié ? Sûr qu'elle allait exploser.

— Il s'est marié avec Éléonore Gagné, une infirmière qui était, elle aussi, membre des Forces armées. Ils sont allés en Afghanistan, puis en Haïti de 2010 à 2013. Ils…

— Ils ont eu des enfants ?

La question de Fabienne était la plus brûlante. Celle qui lui trottait dans la tête depuis quelques minutes. Sans qu'elle puisse se raccrocher à la réalité. Le vin, le sandwich, le détective qui posait sur elle un regard paisible, comme si des drames comme celui-là étaient sa nourriture quotidienne, l'étourdissaient. Des milliers de phrases énoncées au cours de leurs rendez-vous se mirent à tourner dans sa tête : « Fab, merci pour ma sœur ! » « Tu vas voir, ma petite sœur est la secrétaire qu'il vous faut ! » « Ce soir, je vais souper avec ma sœur. »

Éléonore Gagné. Ce prénom ne courait pas les rues. Éléonore Gagné, devenue Éléonore Caron. Il fallait que ce soit la même. Elle était tellement discrète et, en même temps, elle semblait tellement au courant des allées et venues de Pierre-André... Même une vraie sœur n'en aurait jamais su autant. Tous les morceaux du puzzle se plaçaient et Fabienne s'apprêtait à mourir. Monsieur Baugniez continua non sans avoir demandé :

— Ça va aller, docteure ? Je savais que ce ne serait pas facile. Si vous aviez été ma fille, je vous aurais menti et je n'aurais rien dévoilé. Il ne faut pas troubler l'eau qui dort. Mais comme vous m'avez embauché, je dois tout vous dire. À moins que vous vouliez que je m'arrête ici. Mais la suite est passionnante. À vous de décider.

Le détective croisa les bras et attendit en souriant que Fabienne décide.

— Allez-y ! prononça-t-elle d'une voix inquiète.

La tachycardie s'était emparée de son système cardio-vasculaire. Elle pouvait repasser ses notes de médecine : aorte sacrée moyenne, carotide externe, mésentérique supérieure, veine cave supérieure, brachio-céphalique. Fabienne arrivait à suivre le trajet de son sang qui venait exploser dans sa tête. À quoi lui servi-raient toutes ces connaissances si c'était pour devenir folle et mourir d'amour? Pour Rodolphe Baugniez, ce petit jeu de la vérité était aussi insignifiant que pour un chirurgien qui va procéder à la reconstruction d'une hanche et qui explique à son patient qu'il va couper, tailler, retirer, insérer, recoudre, gestes ordinaires et routiniers pour un orthopédiste. Pour Fabienne Lanthier, c'était la déchéance, la dépression, la mort.

— Je ne sais pas encore pourquoi, mais le couple Gagné/Caron a été traduit devant la Cour pénale inter-nationale pour une raison très grave en rapport avec leurs activités en Haïti. Je suis en contact avec un membre influent de Médecins sans frontière et de la Croix-Rouge. Je saurai pourquoi dans quelques semaines. Si vous voulez en savoir davantage, bien entendu, je vous tiendrai au courant. Je ne veux pas vous imposer plus de souffrances. Ne cherchez pas vous-même, car je crains pour vous. Il n'y a rien sur Internet, ni dans la littérature. Je sais seulement que ce que votre Pierre-André et sa femme ont pu faire est assez grave pour qu'ils soient venus se réfugier à la clinique médicale Valrose. N'agissez pas sur le coup de l'émotion, docteure Lanthier. Ça ne pourrait que vous apporter des pro-blèmes supplémentaires.

— Vous voulez dire que je dois faire comme si de rien n'était, monsieur Baugniez ? Mais c'est impossible. Mes confrères ont le droit à la vérité. On a peut-être parmi nous deux meurtriers. Nos patients sont peut-être en danger.

— C'est bien ce que je pensais. Vous allez mettre trop de sel dans la sauce.

— Mais qu'est-ce que vous me suggérez ?

— Prenez un mois de vacances. Ne dites rien à Pierre-André Caron ni à sa conjointe et sortez du Québec. Je connais le propriétaire d'un magnifique hôtel au Costa Rica. La mer, les fleurs, le volcan, la beauté qui peuvent être d'excellents conseillers.

— Mais les patients, la clinique…

— Vous êtes une femme libre. Vous n'avez pas d'enfants. Vos patients ne pourront pas vous en vouloir de prendre soin de vous pour repartir sur une nouvelle base plus solide. Pendant que vous serez partie, j'aurai le temps de comprendre ce qui s'est passé. Et vous déciderez de ce que vous voulez faire.

— Et Pierre-André et Éléonore s'en sortiront indemnes ? Qui vous dit que mes collègues ne sont pas en danger ?

— Partez, Fabienne. Un mois, ce sera une goutte d'eau dans une carrière qui peut durer quarante ans. Un mois pour vous recentrer. Il est surtout important de ne parler de rien à qui que ce soit. Votre… le docteur Caron a sûrement déjà payé pour ce qu'il a fait.

— Mais qu'est-ce que je fais d'ici mon départ ? Je ne peux pas partir demain. Il faut que je voie mes patients, que je fasse ma garde, que je prépare mes collègues. Nous sommes un groupe de Mousquetaires depuis dix ans. Mathieu, Mélissa et Benoît, ils demeurent mes compagnons d'aventures et des amis indispensables. Je ne peux pas leur mentir.

— Vous ne leur mentez pas, docteure. Vous retenez la vérité jusqu'à ce qu'elle éclate. Ils ne vous en voudront pas. En tout cas, laissez-leur mes coordonnées. Si jamais ça se gâtait, ils pourront venir me rencontrer. Une chose est sûre, docteure Lanthier, je vous ai adoptée comme ma fille et je ne vous laisserai pas tomber. En venant me consulter, vous m'avez donné une nouvelle raison de vivre. J'étais devenu inutile, un vieux limier asséché. Voilà que la vie a réintégré mon corps. Vous avez même redonné la vie à ma bonne Géraldine. Elle n'est pas revenue de chez sa cousine, elle qui n'était pas sortie depuis des années ! Allez rêver à vos prochaines vacances. *Ô temps, suspends ton vol !*

Fabienne soupira. Elle se leva et fut prise d'étourdissements, inspira lentement, puis parvint à retrouver son calme. La rage avait remplacé le chagrin. Le détective avait raison. Il valait mieux suspendre son vol pour quelque temps.

Le lendemain matin, après n'avoir dormi que quelques heures à l'aube, Fabienne regarda par la fenêtre. Une neige frivole tentait d'imposer un hiver un peu hâtif. Le vent repoussait les flocons. Les arbres étaient encore mordorés. À vingt-six ans, la vie pouvait encore lui être utile. Un mois de vacances serait une pause santé. Elle sourit, se lava les dents, brossa ses cheveux, revêtit son nouveau tailleur et sortit sans déjeuner. Il fallait qu'elle se rende à la clinique. Pierre-André était en congé. À son arrivée, Jeanne lui apprit qu'Éléonore, grippée, serait absente pour la journée. Cela lui donnerait tout le temps de préparer ses vacances. Mélissa lui demanda si le détective avait trouvé quelque chose. Fabienne dit :

— J'ai rendez-vous dans deux mois. Après mes vacances.

— Où vas-tu ?

— Je vais regarder ça. Peut-être au Costa Rica.

— Tu partirais un mois ? Ça ne va pas être facile de réorganiser l'urgence.

— Je reprendrai vos gardes à mon retour. J'ai vraiment besoin de partir, Mélissa. Et j'aimerais que tu ne parles de rien aux autres. Le détective et tout. J'ai quitté Pierre-André et j'ai besoin de reprendre ma vie en main.

— Tu l'as quitté quand ?

— Ce matin, à huit heures moins le quart.

22.

Trafic d'organes. Rodolphe Baugniez avait été abasourdi. Il le savait quand la docteure Lanthier était venue le rencontrer. Il avait décidé de ne pas le lui dire. Le caporal Peter Andrew Cameron et sa complice Éléonore Gagné avaient accepté la proposition du caïd Angelot Vilton, dit Frankenstein, contre des sommes faramineuses, de prélever des organes vitaux chez les victimes du séisme idéalement encore vivantes. Le cœur, le foie, les reins et même les yeux étaient envoyés à l'étranger ou conservés en Haïti, pour transplantation. Éléonore, elle, avait constitué un réseau de collaborateurs qui, pour quelques gourdes, identifiaient les récentes victimes extraites des édifices effondrés ou toujours enfouies sous les décombres. Les agonisants ou les dépouilles étaient transportés à Jacmel, où le caporal-docteur Cameron extrayait les organes encore sains. Il était payé cinq mille dollars américains pour chaque victime et était venu à bout de faire taire ses remords en se disant qu'à l'autre bout de la chaîne, un petit gars ou une petite fille survivrait grâce à une transplantation. Tous les hôpitaux des grandes villes américaines ou européennes se tournaient vers ces organisations macabres afin d'obtenir des organes pour leurs patients. Son contact lui affirma que les grands organismes internationaux étaient au courant de la magouille, mais fermaient les yeux sur ce trafic d'organes, puisqu'il permettait de redonner la vie à de nombreux malades.

C'étaient de trop lourdes informations pour le petit détective Rodolphe Baugniez! Il avait connu la Seconde Guerre grâce aux témoignages de tous ces soldats cachés par sa mère en Belgique. L'horreur lui avait été révélée et il n'en avait pas oublié un seul détail. Le trafic d'organes n'était pas pire que les histoires tordues que lui racontaient les jeunes déserteurs qui, cigarette au bec, perdus dans les vieilles redingotes de ses frères, nourris de pain, de fromage frais et de vin chaud par sa mère, passaient leur frousse en partageant leurs tristes souvenirs.

Il décida de ne rien raconter à la docteure Lanthier. Il savait qu'elle demanderait des comptes. Il allait inventer des explications. Elle passerait ainsi de belles vacances. C'était mal la connaître.

La devise du Costa Rica: *Que vivent pour toujours le travail et la paix!* Voilà qui plaisait bien à

Fabienne Lanthier. Elle avait fureté sur Internet et avait trouvé un charmant complexe hôtelier où elle put réserver pour trente jours. C'était un voyage d'au moins dix mille dollars, mais elle savait qu'elle vivrait des vacances de rêve dans cette ville qui portait le joli nom de Fortuna.

À une semaine du départ, elle se rendit chez son père, qu'elle avait tenu à l'écart depuis plus de six mois. Richard Lanthier cherchait toujours à garder le contrôle sur la vie de sa fille et, fier qu'elle soit médecin, s'enorgueillissait en le disant à tous ceux qu'il rencontrait. Quand elle lui raconta, en le ménageant, que le type dont elle était tombée amoureuse lui avait caché qu'il était un homme marié, Richard voulut s'en mêler et aller rencontrer « ce minable, ce petit frais chié, ce maudit malhonnête », mais Fabienne, après avoir bien ri, le menaça de ne plus jamais lui parler de sa vie s'il passait aux actes.

— Je pars pour le Costa Rica. Je serai là-bas pour tout le mois. J'ai besoin de réfléchir et de reprendre ma vie en main.

— Tu vas dans un pays de sauvages toute seule ? Mais ils vont t'écrabouiller, ma pauvre fille. Te voler, te violer, peut-être. Dans ces pays-là, les femmes seules peuvent y laisser la vie ! Va ailleurs, aux États-Unis par exemple. Ça fait si longtemps que tu veux aller à Disneyland ! Rappelle-toi comme tu voulais y aller…

— Papa, j'ai réservé au Costa Rica. J'ai acheté mon billet d'avion. Je pars après-demain. Seule, et je n'ai pas peur du tout. Tu ne viendras pas me dire quoi faire !

— Tu me laisseras les coordonnées au cas où quelque chose m'arriverait, pour que je puisse te joindre, glissa-t-il sur le ton de la tendresse.

— Oui, oui, papa, mentit-elle.

Richard Lanthier savait qu'il ne gagnerait pas. Fabienne avait toujours fait tout ce qu'elle voulait. Exactement comme sa mère. Une tête de cochon. Une tête froide. Une indépendante.

& & &

Fabienne n'apprendrait rien au Costa Rica. Elle annula donc l'hôtel et discuta avec la préposée aux réservations d'Air Canada des possibilités d'un vol pour Haïti. La dame lui offrit un remboursement et réserva une place sur un vol en classe affaires pour le lendemain. Il n'y avait plus de temps à perdre.

Fabienne quitta le pays sans dire à qui que ce soit dans son entourage qu'elle avait changé de destination.

Mais elle téléphona à monsieur Baugniez.

— Je ne pars plus pour le Costa Rica. J'ai décidé de me rendre à Port-au-Prince. Il n'est pas dit que je ne trouverai rien au sujet de Pierre-André. J'ai déniché un petit hôtel, rien de trop chic, pour y passer le mois. Personne ne doit savoir pour ne pas nuire à mes recherches. Le caporal Peter Andrew Cameron aura sûrement laissé sa trace tel que je le connais. Vous m'avez parlé de Médecins sans frontières, de la Croix-Rouge. Et Pierre-André m'a parlé d'un médecin qui s'appelait Joseph-Louis Voltaire.

— Je ne crois pas que ce soit une bonne idée, docteure Lanthier.

— Je sais. Mais je dois apprendre la vérité. Qui donc est le vrai Pierre-André Caron ?

— C'est un médecin qui a… sûrement… de nobles intentions, mais qui, peut-être, a du mal à dire la vérité. Faites quand même attention à vous. Je serais malheureux de vous être venu en aide s'il vous arrivait quelque chose ensuite.

— Vous pourrez toujours me joindre sur mon cellulaire si jamais l'inquiétude vous saisissait. Pour vous, Rodolphe, je n'ai pas de secrets.

— Oh ! Nom de Dieu ! Vous allez me faire mourir !

— Mais non, ça me fera du bien de nager dans la brume. Ça fera changement de la médecine. Je veux savoir.

— Soyez très prudente.

Le détective ressentit un grand inconfort tout à coup. Il se disait qu'il aurait dû tout lui dire, mais se ravisa : on ne patauge pas dans l'auge d'un caïd. Fabienne Lanthier ferait sa propre enquête, brasserait l'ordre établi s'il y en avait un et apprendrait par elle-même cette horrible histoire de trafic d'organes. Comment condamner celui qui prend pour donner aux plus démunis ? Il sourit : Pierre-André Caron, alias Peter Andrew Cameron, avait été le Robin des Bois de la santé. Il s'était constitué une fortune en profitant, peut-être bien malgré lui, du trafic d'organes prélevés chez les victimes d'un séisme qui allait laisser Haïti encore plus pauvre, désolé et découragé. Quand il en avait parlé à sa bonne Géraldine, Rodolphe Baugniez sut qu'il avait fait la bonne affaire. Un secret aussi grave que celui-là ne pouvait pas être partagé avec une si gentille personne, même si elle avait payé le vieux détective pour faire ses recherches. « Il n'y a pas une somme d'argent assez grosse pour justifier que tu fasses du mal à cette pauvre fille », s'était dit Rodolphe.

& & &

Au *Palm Inn*, elle dénicha un appartement propre, confortable, mais à l'ameublement très minimaliste. Un lit avec un couvre-lit matelassé plus mince qu'un mouchoir, une armoire, un pupitre, une chaise. Et, en prime, un anolis qui courait sur le mur de la salle de bains. C'est ce dont elle avait besoin. Elle aurait bien pu louer à Pétionville, l'antre de la ploutocratie née du duvaliérisme, mais elle voulait être dans la capitale pour mieux s'imprégner de l'air qu'IL avait respiré, des couchers de soleil que lui et Éléonore avaient admirés, être plus près des petites filles, adorables avec leurs mille barrettes dans les cheveux, et des petits garçons espiègles qui, peut-être, avaient déjà croisé le caporal Peter Andrew Cameron.

La première semaine se passa à explorer les lieux, à parler aux gens et à se familiariser avec cette langue farcie de patois créole. Elle put aussi observer les cicatrices qu'avait laissées ce séisme horrible que tous avaient pu suivre à la télévision dans le monde entier. Elle se rappela l'horreur en direct et le sourire édenté de plusieurs Haïtiens que Dieu avait décidé de punir, selon certains observateurs candides. Le palais présidentiel encore en ruine. Ici et là, des milliers de gîtes de fortune d'où s'extrayaient, sous un soleil magnifique, des petites filles enrubannées comme si la détresse ne pouvait se passer d'accessoires de beauté et de sourires. Les enfants poussaient de petits bateaux de papier sur les rigoles de pisse et d'eau de lavage, ils sautaient à cloche-pied sur les cailloux abandonnés le long des rues asphaltées par l'écroulement des maisons et des buildings, tandis que les plus grands formaient des amoncellements de ciment pour les broyer en une sorte d'agrégat à revendre aux constructeurs. En passant devant la cathédrale Notre-Dame, Fabienne se dit que Dieu n'avait pas aidé sa cause parce que ce peuple était parmi les plus pieux de la terre. Partout, elle rencontrait l'insouciance, la joie de vivre et l'espoir.

La deuxième semaine, elle identifia les cliniques, les cabinets privés et les petits dispensaires créés après le séisme.

Pierre-André lui avait affirmé qu'il était arrivé à Port-au-Prince le 12 février 2010, un mois très exactement après le séisme. Il avait dit avoir loué une petite villa à Jacmel, juste en face de Léogâne.

Elle téléphona à monsieur Baugniez et l'informa des piètres résultats de ses recherches. Les médecins de l'endroit ne connaissaient aucun médecin de l'armée canadienne, et l'organisme Médecins sans frontières n'avait pas voulu répondre, prétextant qu'il y avait tellement de gens qui cherchaient à obtenir des informations qu'ils préféraient que Fabienne s'adresse à l'ambassade du Canada, route de Delmas.

— Essayez de trouver un type qu'on appelle Frankenstein dans le milieu. En fait, il s'appelle Angelot

Vilton. Il connaît peut-être des moyens de vous conduire jusqu'au docteur Cameron.

— Où avez-vous pris ce nom de Frankenstein ?

— Un détective doit avoir quelques contacts, non ? Essayez, vous me rappellerez. À part ça, vous vous amusez bien ?

— Je visite, je cherche, j'aime. La mer est magnifique. Et Jacmel est le plus bel endroit du monde. Je comprends pourquoi Pierre-André s'est installé ici. Il y a un hôtel dirigé par une Québécoise, mariée à un Haïtien. J'ai réservé une chambre pour quelques dollars. Je mange bien. Je compte bien arriver au bout de ma route dans peu de temps. Je vous rappelle. Géraldine va bien ?

— Une petite grippe de début d'hiver, comme chaque année.

— Dites-lui que je vais lui rapporter une robe peinte à la main.

Le lendemain de sa conversation avec son vieux patient, Fabienne lança le nom de Frankenstein sans se douter que dans le dispensaire de la Cité Soleil, on mordrait à l'hameçon. Une jeune infirmière novice qui arborait le plus joli sourire se montra soudainement effrayée. Quand Fabienne lui demanda pourquoi elle tremblait de peur, elle se mit à pleurer comme une Madeleine. Sa supérieure vint la chercher afin qu'elle assiste pour un accouchement, et la jeune femme disparut en séchant ses larmes. Puis, alors que la docteure québécoise s'était assise sous un manguier pour le déjeuner, elle vit s'approcher doucement la jeune infirmière qui vint prendre place à ses côtés, aussi timidement qu'une écolière.

— Comment t'appelles-tu ? Moi, c'est Fabienne. Je viens du Canada. Du Québec, tu connais ?

— Je m'appelle Clarelle Vernis. Je viens de terminer mon premier stage à cette clinique.

— Pourquoi as-tu pleuré, tantôt ?

— Parce que je sais que vous venez du Québec. Et... et... mon petit frère a été opéré par un docteur québécois.

— Opéré pourquoi ?

— Il a été enterré sous un mur de pierres en 2010. Mon frère est une victime du séisme. Madame Fabienne, j'ai décidé de faire mon cours d'infirmière, en mémoire de Louis-Jean. Il aurait douze ans aujourd'hui.

— Ah, il est mort ? Ils n'ont pas pu le sauver ?

— Non.

— Moi, je cherche un docteur de l'armée canadienne, le docteur Cameron. Tu ne le connais pas, par hasard ?

Clarelle ne voulut pas en dire davantage. Elle se leva et, juste avant de retourner auprès de ses parturientes, elle lança :

— Il faut parler au docteur Shawn Douglas. Un Américain. Lui, il pourra vous aider à retrouver Angelot Vilton.

Fabienne demeura interloquée pendant quelques minutes. Elle voulut courir après Clarelle. Elle avait bien mentionné Frankenstein, mais jamais elle n'avait prononcé le nom d'Angelot Vilton !

Ainsi, Clarelle connaissait l'identité de Frankenstein et était visiblement devenue très nerveuse à l'évocation de son nom.

À Jacmel, Fabienne s'arrêta devant un petit cottage où, selon une vieille grand-maman, avaient résidé un médecin québécois et sa femme. Ils étaient partis en plein milieu de la nuit en abandonnant tout leur barda, qui avait tout de suite été récupéré par une bande de jeunes du coin. La vieille montra du doigt une masure à quelques pas de là, sur le toit de laquelle on avait installé un drapeau blanc avec une étoile rouge en plein centre.

— C'est du satin. Ils ont pris ça dans les affaires de ces gens. Ils ont fait un drapeau de satin avec. C'est son jupon à elle. Regardez la dentelle dans le bas. L'étoile rouge, c'est…

Fabienne était médusée. Se pouvait-il qu'elle soit sur la piste de Pierre-André et d'Éléonore ?

Elle fit le tour de la maison où peut-être avait vécu le couple. Trois jeunes enfants sautillèrent jusqu'à elle, présentant les paumes pour qu'elle y dépose quelques gourdes. Elle sourit et leur en donna cinq à chacun.

Ils devaient avoir six ou sept ans. Elle risqua :

— Vous connaissez le docteur Cameron ? Ou madame Éléonore ? Ils habitaient ici.

Les enfants ne comprirent rien et un petit garçon, plutôt déluré, s'avança en tendant de nouveau la paume de sa main. Fabienne continua :

— Le docteur Douglas, alors ?

Les yeux du petit garçon s'allumèrent. Il montra une grande maison en pierres, avec un long chemin graveleux bordé d'arbres qui menait à une devanture plutôt luxueuse. Un gros chien sautillait au bout de sa laisse en jappant. Une femme blonde sortit, le somma de se taire, tira sur sa laisse et le fit entrer. Fabienne offrit un billet au petit garçon qui courut aussitôt vers ses amies. Elle marcha jusqu'à la guérite, longea l'allée d'arbres, puis sonna à la porte. La même jeune femme réapparut.

— Bonjour, je suis un médecin du Québec et je cherche un certain docteur Shawn Douglas. C'est important.

— Il n'est pas rentré.

— Quand pourrais-je le voir ?

— C'est pourquoi au juste ?

— J'ai des informations à lui demander.

— Je puis peut-être vous répondre. Je suis sa femme. Entrez donc.

— Vous êtes certaine ?

— J'ai très rarement des visiteurs. Je passe mes journées à jardiner, à faire du ménage, à me promener sur la plage. Entrez. Vous vous appelez comment ?

— Fabienne Lanthier. Je suis…. Je suis une amie d'Angelot Vilton, mentit-elle.

— Ah, mais il fallait le dire ! Angelot est un ami très intime de mon mari. Ils ont travaillé tous les deux pour une clinique de transplantation d'organes. Il y a eu tant de morts lors du séisme, il fallait en profiter pour redonner la santé à des centaines d'enfants.

On aurait dit un plaidoyer en faveur de la charité chrétienne.

— Ils prélevaient des organes vitaux et des chirurgiens les transplantaient ? demanda Fabienne.

— Non, ils prélevaient et envoyaient les organes pour qu'ils soient transplantés aux États-Unis ou au Canada. Quelques envois en Europe.

— Et ici ?

— Les gens n'ont pas les moyens de se payer une transplantation, Fabienne, voyons ! Les gens de ce pays sont aussi pauvres que Job. Une transplantation cardiaque, c'est cinq mille dollars américains ! Les hôpitaux manquent de tout, de personnel, de salles d'opération, de produits sanguins.

— Les médecins ne pouvaient pas faire un acte humanitaire ? Il y a des besoins ici aussi. En plus, ce sont les organes de leurs frères. Je ne comprends vraiment pas… euh…

— Je m'appelle Carole. Je suis née à Saint-Hilaire. Je suis ici depuis cinq ans. Je me sens ici comme dans le roman *Racines*. Les Haïtiennes font tout ce que nous voulons pour quelques gourdes ou des aliments américains. Le *Kraft Dinner* vaut de l'or, ici, dit-elle avant de se mettre à rire. En passant, vous voulez un porto blanc ? Mon mari l'importe du Portugal directement.

Fabienne aurait voulu partir. Elle ne voulait pas connaître la suite qui allait, sans aucun doute, briser sa quiétude.

— Parlez-moi de vous, demanda Carole en se calant sur une montagne de coussins.

Fabienne raconta son parcours des dernières années, Valrose, ses camarades d'université, et lança avec le moins de naïveté possible le nom de Pierre-André Caron. Carole posa le pied dans le piège avec aplomb.

— Je connais le docteur Peter Andrew… Ce doit être le même, Fabienne. Grand, cheveux argentés, longues jambes…

En voyant le visage de son invitée se plisser d'inquiétude, elle s'empressa d'ajouter :

— Oh, je crois bien que je me trompe. Pierre-André Caron, ça ressemble au nom d'un collaborateur de mon mari, mais…

— C'est lui, Carole.

Fabienne se mit à trembler tout en essayant de garder son calme.

— Pierre-André, vous dites ? C'est vrai, il a quitté la région après que les Internationaux sont venus l'arrêter chez lui, avec sa petite femme. Alors, ça c'est chouette que vous le connaissiez. Nous l'aimions beaucoup, vous savez. Vous dites qu'il pratique dans votre clinique ?

— Et sa femme aussi. C'est notre secrétaire.

— Mais Éléonore était infirmière spécialisée en pédiatrie.

— Elle est secrétaire maintenant chez nous.

Carole se mit à réfléchir.

Fabienne semblait en connaître beaucoup plus sur la vente de ces organes prélevés sur les plus jeunes victimes du séisme qu'elle voulait le laisser paraître. Pourquoi était-elle venue jusque chez Shawn et comment pouvait-elle connaître Frankenstein ? Pourquoi avait-elle pris ses vacances dans ce paradis immensément blessé où régnait encore la pire des détresses ? Savait-elle des choses au sujet de Peter Andrew Cameron qui, pendant un moment, pouvait gagner jusqu'à vingt mille dollars américains par jour pour vider les cadavres qu'on lui apportait ?

Carole était une jolie femme très raffinée, mais elle ne saisissait pas l'horreur que représentait cette entreprise macabre. Quant à Fabienne, plus le temps passait, plus elle voulait briser sa relation avec Pierre-André Caron. Il lui avait paru tellement affable et elle avait cru qu'elle pouvait bâtir quelque chose de solide avec lui. Puis elle avait embauché cette Éléonore qu'elle avait vraiment cru être sa sœur. Elle ferma les yeux, étourdie par tout ce qu'elle apprenait au fur et à mesure de son entretien avec Carole.

— Ça ne va pas, Fabienne ? Vous semblez souffrante.

— Vous ne seriez pas souffrante, vous, si vous appreniez tout à coup que votre... votre collègue est un assassin ?

— Oh, tout de suite les grands mots ! Je crois que vous ne comprenez pas. Je vous l'ai dit tout à l'heure. Ces personnes auraient été jetées dans des fosses communes ou dévorées par des charognards. On les récupère, on prélève les organes qui vont prolonger la vie de centaines de personnes, puis on leur offre une sépulture chrétienne. Le père Lamoureux les bénissait et s'assurait que chaque croix ait son bouquet de fleurs. Ce n'est pas si mal pour des milliers de pauvres gens qui n'ont jamais reçu aucun hommage. Là, ils ont de la reconnaissance. Un petit Français de sept ans a reçu une greffe cœur-poumon en mars 2010. Depuis, il va à l'école, fait du vélo et joue au soccer. Il est là, le vrai miracle de la vie humaine, Fabienne. Vous êtes médecin, vous devriez adhérer à cette philosophie de l'entraide, non?

Fabienne se leva, remercia Carole et se préparait à retourner à son hôtel lorsqu'elle entendit: «Un jour, vous comprendrez, docteure Lanthier.»

& & &

Revenue à sa chambre, Fabienne rappela Rodolphe Baugniez et, quand elle entendit sa voix, elle ne put s'empêcher de pleurer. Entre deux hoquets, elle lança:

— Vous ne m'aviez rien dit. Pierre-André est un assassin.

M. Baugniez ne disait mot. Il venait de tout comprendre. Fabienne Lanthier avait découvert la vérité.

— Je ne pouvais pas. Vous aviez besoin de vacances. Le Costa Rica aurait été une destination parfaite. Excusez-moi, docteure Lanthier. Géraldine est entrée aux soins palliatifs hier matin.

— Non, mon Dieu!

— Cancer de la plèvre. Un cancer fulgurant.

— Je suis désolée.

— Pas autant que moi. Je ne pourrai jamais survivre à ça. On s'était mariés pour la vie. Maintenant que la mort est aux portes, je dois partir moi aussi.

— Je comprends. Je comprends tellement! Je vous rappelle.

Elle mit fin à la conversation, car elle pleurait trop.

Elle descendit au bar de l'hôtel. Un groupe d'Haïtiens riaient. Deux Américaines bien roulées dansaient, un cocktail à la main, une famille de Français passait avec trois enfants qui traînaient leurs serviettes et leurs jeux de plage en chialant. Un barman s'approcha de Fabienne et lui demanda ce qu'elle voulait boire.

— Un scotch sur glace.

Elle ne put s'empêcher de penser à Benoît Raymond qui carburait au scotch whisky et qui laissait une fortune dans l'achat de Glen Deer 30 ans. Elle se contenta, elle, d'un Chivas.

Légèrement enivrée, Fabienne entendit un brouhaha dans le hall de l'hôtel. Deux hommes à l'allure névrosée entrèrent, commandèrent chacun un verre d'un simple geste de la main, comme si le barman les connaissait depuis toujours. Le premier, un grand Haïtien pâle, presque blanc, cherchait quelqu'un du regard comme dans les films de gangsters. Le deuxième, plus replet, plus foncé et plus expressif, demanda au barman si « elle était dans les parages ». Le barman lui fit signe de baisser le ton et son regard s'arrêta justement sur Fabienne qui, seule à une table, sirotait son verre, les yeux dans l'eau. Elle le remarqua. L'espèce de caïd, le premier des deux hommes, la remarqua aussi, s'approcha d'elle et dit :

— Il paraît que je suis votre ami, docteure Lanthier.

Puis il se mit à rire. Elle répondit du tac au tac :

— Je pensais que Frankenstein était un monsieur laid et très effrayant. Je vous ai mal jugé, je crois.

— Je viens de parler à Peter Andrew. Il était très fâché de vous savoir ici, à Port-au-Prince. Il m'a dit qu'il songeait à revenir ici pour encore quelques années. Ne le saviez-vous pas ?

— Je ne lui ai pas parlé depuis longtemps. Il m'a trahie. Il m'a menti. Je me fous de ses choix professionnels, monsieur Vilton. Mais j'ai embauché Éléonore à la clinique en croyant qu'elle était sa sœur. Pierre... Peter Andrew et moi, on allait se marier, peut-être.

Elle passa les deux autres semaines à offrir son

aide à des cliniques temporaires, à arpenter la plus belle plage du monde, à acheter des colliers de coquillages aux enfants qui l'abordaient partout où elle allait, à apporter son réconfort à des femmes et à des enfants encore sous le choc après le 12 janvier 2010. Ses vacances prirent fin et elle ne voulait plus revenir à Valrose. La liberté avait un goût de cuisine créole, de sourires éclatants, d'histoires invraisemblables et de tentatives de séduction. Port-au-Prince n'avait pas besoin de palais, d'hôtels luxueux, d'édifices pailletés. Ses habitants parvenaient à embellir la vie, pris entre les souvenirs d'horreur et l'avenir d'une reconstruction, et pour Fabienne Lanthier, cela était amplement suffisant.

23.

Le docteur Raymond se présenta à la *Maison Soleil* vers 10 heures, en retard, la tête lourde comme du plomb. Il avait bu la veille en cherchant dans les vapeurs de l'alcool à entrevoir le corps de Béatrice, sa langueur et ses lèvres roses. Chaque fois, un homme venait la lui arracher et Benoît se mettait à brailler comme lorsque son grand frère lui volait son ours en peluche.

Béatrice était dans son bureau en train de coordonner les nouvelles admissions. Dans la chambre cinq, une nouvelle patiente se plaignait doucement, branchée à une distributrice d'oxygène, et, auprès d'elle, son mari lui tenait la main en pleurant silencieusement. Benoît s'empara du dossier de Géraldine Desmeules, soixante-cinq ans. Le diagnostic était implacable : mésothéliome pulmonaire métastatique. Benoît s'assit au poste de l'infirmière et se mit à lire les notes placées au dossier de Mᵐᵉ Desmeules. Le docteur Raymond avait bien résumé la maladie de la patiente. Il était indiqué que le père de Mᵐᵉ Desmeules avait travaillé toute sa vie dans une mine d'amiante et il avait installé sa famille à Asbestos alors qu'il était maître de chantier à la mine Jeffrey. Trois de ses frères travaillaient dans la mine et ils étaient tous décédés d'un mésothéliome. Cette famille Desmeules avait en tout mis au monde treize enfants et neuf étaient morts de la même maladie. Étrange, se dit Benoît Raymond. Jamais il n'aurait pensé que l'amiante avait fait autant de victimes, même parmi celles qui n'avaient jamais mis les pieds à la mine. Juste avoir des contacts indirects avec la fibre mortelle était suffisant.

Il entra dans la petite chambre qu'on avait tenté de rendre accueillante. Aucun soluté ni aucune fiole inquiétante, un pichet d'eau et des pailles, une boîte de papiers mouchoirs. Deux fauteuils près du lit, des draps fleuris et toujours ces illustrations de paradis, de lumière et de ciel bleu.

Le mari de Géraldine se tourna vers le médecin avec un sourire forcé. Un homme d'une tendresse inouïe. Il ne lâchait pas la main de sa femme, comme s'il tenait la corde d'un cerf-volant en souhaitant s'envoler avec lui.

— Comment la trouvez-vous, docteur ? demanda-t-il.

— Elle s'en va. Calmement, je trouve.

— Je dois décider de la laisser partir. C'est le plus difficile.

— Oui, c'est le plus difficile, mais vous devez le faire. Bien des malades se retiennent de partir parce que leurs proches ne sont pas prêts. Quand vous serez décidé, vous lui direz que vous voulez qu'elle parte. Juste quand vous serez décidé. Avec les médicaments, elle ne souffre pas. Si elle souffre trop, j'augmenterai la dose.

— Vous allez l'aider à partir, docteur ?

— C'est à peu près ça. Ce n'est pas de l'euthanasie, comprenez-moi bien. Mais une façon d'aider le malade à se décider. Vous savez, quand quelqu'un hésite avant de sauter du plongeoir ? Une petite tape dans le dos, et hop ! il se lance dans la piscine.

— Je comprends. Fabienne m'avait dit combien vous étiez compréhensif. Fabienne Lanthier est ma docteure.

— Elle est revenue de voyage. J'espère qu'elle en a bien profité. Elle va avoir la surprise de sa vie. Le docteur Pierre-André Caron a quitté Valrose. Comme ça, sur un coup de tête, sans donner de raison.

— Il en avait, soyez-en assuré.

Le docteur Raymond n'eut pas le temps de réagir, même si mille questions surgissaient dans sa tête. Géraldine tenta de parler. Elle souffla quelques sons qui ressemblaient au prénom de son mari. Monsieur Baugniez avait passé toute sa vie à chercher des indices, à trouver les coupables, à dénouer des intrigues. Celle-ci, indéchiffrable, inexorable, lui parut si claire qu'elle lui brisa instantanément le cœur : sa Géraldine poussa

258

son dernier soupir, les yeux entrouverts, le visage placide. Rodolphe Baugniez se tourna vers le médecin en implorant sa sollicitude.

— C'est fini. Ma Géraldine a fini de souffrir.

Il était évident que ce n'étaient que des mots. Le cœur, lui, n'allait continuer à battre que pour la forme. Sans raison. Rodolphe Baugniez venait lui aussi de mourir.

Benoît Raymond sut qu'il était à la bonne place. Aider les malades à passer de l'autre côté, mais surtout accompagner leurs proches à rester de ce côté-ci, sans avoir trop mal.

— Monsieur Baugniez, si vous avez besoin de quelque chose, je suis là. Je vais avertir le personnel de vous laisser avec elle aussi longtemps que vous en aurez besoin. Sonnez quand vous serez prêt à la quitter pour de vrai. Je procéderai au constat de décès et...

— Je suis prêt, docteur. Je lui ai dit adieu tous les jours de notre vie. Je suis prêt.

Le détective prit le docteur Raymond entre ses bras. Quand Aline, l'infirmière du rez-de-chaussée, entra dans la chambre numéro cinq, elle vit deux hommes s'étreindre en pleurant tous les deux.

& & &

Ce séjour de quatre semaines avait été bienfaisant pour Fabienne Lanthier. Elle avait évincé Pierre-André Caron de sa pensée et s'apprêtait à l'affronter et à congédier Éléonore. Elle avait répété des dizaines de fois les paroles qu'elle allait adresser à ses confrères pour leur expliquer sa décision. Elle qui était responsable du personnel de la clinique médicale Valrose, jusqu'à ce que ses collègues décident de lui retirer cette tâche, n'allait pas se gêner. Ce qu'elle craignait le plus, c'était de se retrouver en face de son amant, imaginant qu'il tente une approche amoureuse, la couvrant de baisers jusqu'à ce qu'elle tombe, complètement envoûtée. Elle était cependant persuadée qu'Angelot Vilton avait informé Peter Andrew Cameron des événements qui avaient truffé son séjour en Haïti. Elle se demanda tout à coup s'il ne serait pas souhaitable qu'elle entre en contact avec un journaliste d'enquête pour étaler au grand jour ce qui se passait dans ce pays depuis le séisme. Dans sa tête, elle entendit pour la centième fois Carole Douglas lui dire: *les greffes aidaient des centaines d'enfants à survivre.* De la médecine à la Robin des Bois. Arracher aux uns pour favoriser les autres. Était-ce si abominable, au fond? Il était si rare de trouver des foies, des cœurs ou des poumons pour permettre à des enfants de survivre. Le séisme n'avait pas été sélectif. Des milliers d'enfants avaient trouvé la mort pour permettre à des centaines d'autres de vivre. Fabienne ferma les yeux.

260

Quand elle entra à la clinique, Jeanne Beaulieu était tout excitée de la voir, mais, en même temps, très embarrassée. Elle posait mille questions, racontait tous les drames survenus à la clinique, mais aussi fit un résumé des nouvelles du *Journal du Matin*. Puis un silence s'installa quand Fabienne lui demanda si tout le monde allait bien à Valrose. La réceptionniste lui montra le pupitre vide qu'avait occupé Éléonore, puis attira l'attention de la docteure Lanthier sur une pile de formulaires de remboursement à la RAMQ.

— C'est moi qui les remplis en ce moment. Je… j'ai…

— Elle est partie pour de bon, c'est tant mieux.

Jeanne ouvrit la bouche comme une carpe.

— Et… et le docteur Caron?

— Parti en vacances, mentit Jeanne pour circonscrire l'incendie.

— Les autres sont arrivés? demanda Fabienne, comme si la nouvelle ne la touchait nullement.

— Il manque Mélissa et Benoît a appelé pour dire qu'il serait en retard. Mme Baugniez est décédée ce matin à la *Maison Soleil*.

Fabienne demeura interdite. Il ne manquait plus que ça. L'homme en quelque sorte responsable, malgré lui, de tous ses malheurs avait besoin d'elle. Elle lui en voulait de lui avoir caché la vérité, mais en même temps, elle lui était tellement redevable.

— Dites-leur qu'il y aura une réunion d'urgence à midi pile.

Fabienne entra dans son bureau. Elle retrouva avec satisfaction les murs tapissés d'œuvres d'art et choisit, d'un simple coup d'œil, l'espace qu'occuperait le tableau qu'elle avait acheté à Port-au-Prince. Juste à côté de l'aquarelle d'Adriano Scognamiglio. Elle passa la paume sur le dessus de son bureau et constata que l'homme de ménage ne l'avait pas négligé. Elle aperçut, parmi un courrier abondant, coincée sous la lampe à col de cygne, une enveloppe qui lui était adressée. Rien d'autre que : *Fabienne*. Une lettre personnelle. L'écriture de Pierre-André Caron.

Ma chère Fabienne,

Que te dire ? Une série de choix erronés m'ont conduit jusqu'à cette clinique. J'ai tenté de mettre une croix définitive sur un passé que certains ont jugé trouble, mais que j'ai choisi de mon plein gré.

Quand tu liras cette lettre, tu seras au courant de tout : Haïti et toutes ses contradictions, la clinique que nous avons fondée pour le prélèvement des organes (pas question ici de trafic comme il a été dit au procès) qui, tu t'en doutes, aura permis à des centaines de gens malades de recouvrer la santé, quoi que tu puisses en penser.

Oui, je t'ai menti. J'ai été obligé de te mentir si je voulais recommencer ma vie. Et je ne regrette rien. J'ai amassé assez d'argent pour vivre confortablement là où je déciderai de me poser. J'ai cru que Valrose me permettrait de tirer un trait sur ma vie passée, en vivant un certain temps sous un nom fictif pas trop loin de celui qu'on m'a donné à ma naissance, mais je suis tombé amoureux de toi. Grand bonheur, mais qui a compliqué les choses, finalement.

À cause de tout ce que tu sais, j'ai décidé de partir loin. Sans explications. Tu pourras leur en fournir. Et leur dire que j'ai été très heureux en leur compagnie. Comme je l'ai été avec toi. Éléonore est partie elle aussi. Pour ne pas t'embêter. Elle et moi sommes partis chacun de notre côté. Elle a été ma compagne. Tu l'as été à ta manière. Je serai seul désormais et j'ai décidé de dédier ma vie aux enfants du SIDA, les plus écorchés de notre triste civilisation, auxquels je me consacre tous les vendredis depuis que je suis revenu au Québec.

Je ne t'oublierai pas,
Pierre-André

La réunion dura plus d'une heure, durant laquelle la docteure Lanthier parla sans arrêt et avec son cœur. Elle raconta à ses collègues et à Jeanne, qu'elle avait tenu à inviter, les raisons pour lesquelles Éléonore et

Pierre-André Caron avaient quitté inopinément la clinique Valrose. Son opinion sur la présence du couple en Haïti avait changé. Fabienne ne supposa aucune intention malfaisante à Pierre-André et à sa complice de l'époque. Elle garda secrets les noms des médecins haïtiens qui travaillaient avec Pierre-André, mais raconta à ses collègues de Valrose tout ce qu'elle avait retenu de ce pays brisé, de ses habitants écorchés et des choix que Pierre-André avait dû faire pour assurer sa survie. Elle ne manqua pas de parler de la beauté de la mer des Caraïbes et des paysages bucoliques, de l'imaginaire de ce peuple tout juste sorti des mensonges de la dictature. Tous, ils écoutaient son récit parfois interrompu par les larmes, parfois truffé de rires. Au bout d'une heure trente, Mathieu s'approcha de Fabienne, il la pressa contre sa poitrine et la remercia, visiblement ébranlé. Ils retournèrent à leurs activités. La salle d'attente était remplie. Et les regards d'espoir de tous ces patients leur rappelèrent pourquoi, tous, ils avaient choisi cette profession.

24.

Quand Fabienne entra chez les Baugniez, il y régnait une atmosphère d'une infinie tristesse. Une odeur de moisi avait envahi le salon qui servait de bureau à son cher détective. Elle avait déposé son manteau sur le dos d'un fauteuil et ses effets personnels sur le siège. Ils ne se parlaient pas encore. Fabienne remarqua que des photos de Géraldine avaient été déposées à plusieurs endroits, comme si Rodolphe avait voulu la garder constamment près de lui. Le vieux détective ne savait pas quoi dire et éprouvait de réels remords à l'endroit de la docteure Fabienne Lanthier. Il s'assit devant elle, croisa les jambes, garda la tête baissée.

— Ça ne va pas, monsieur Baugniez ?

— Ça n'ira plus jamais. La solitude est la pire des déchéances. Je n'ai plus aucune raison de vivre. Ma femme venait d'avoir soixante-sept ans. C'est trop jeune pour partir. Nous devions faire un séjour en Belgique. Je voulais revoir mon pays et lui faire découvrir tous les petits bleds de mon enfance. Comme un recommencement. Mais le sort en a voulu autrement. Vous savez, elle a été tuée par sa famille. Ils ont tous pataugé dans le maudit amiante. Son père, ses oncles et même ses grands frères. Tous condamnés à mort par un mésothéliome. On aurait dû s'en douter et aller en Belgique pendant que nous étions encore jeunes. Vous voulez un bon café? Un café fort comme on le fait ici, pas celui que l'on boit à Brest, évidemment. Vous en voulez?

— Je veux bien.

Rodolphe avait vieilli de vingt ans. Il claudiquait, le dos voûté et la mine aussi triste qu'un petit matin d'hiver. Combien la mort d'un amour pouvait transformer les gens! Rodolphe Baugniez se rendit à la cuisine et Fabienne put entendre des cliquetis, le souffle de la gazinière qui s'allume, le froissement de l'eau dans la bouilloire, le tintement de la porcelaine, la porte du frigo qui s'ouvre, le plateau que l'on remplit. Puis, au bout de longues minutes, Rodolphe apporta deux tasses de café qui embaumait l'air de la petite maison sombre des Baugniez. Il s'assit près de Fabienne.

— Maintenant que vous savez, votre vie est-elle plus douce ou plus misérable, docteure Lanthier? Je me suis toute ma vie posé la question après chaque enquête, quand je rapportais, comme un chat dépose une souris morte devant la porte de son maître, les résultats qui venaient expliquer à mon client le comportement de son conjoint ou de son employé. Est-ce que je rendais service, dites-moi ? Est-ce que d'accélérer un processus rend les gens plus heureux le jour où ils apprennent la vérité ?

— Ne pas savoir, monsieur Baugniez, est pire que la douleur de connaître la vérité. Je vous le jure. Depuis que je sais au sujet de Pierre-André, même si cela a été déchirant de l'apprendre, je me sens libérée. Et je sais tellement où je m'en vais. Et ça, grâce à vous.

— Mais je ne vous ai rien dit. J'ai choisi de ne rien vous dire pour vous éviter de gros chagrins. Vous avez été plus rapide que je le croyais. Quand j'ai compris que vous alliez à Port-au-Prince, j'ai eu un pincement au cœur. Géraldine m'a même offert tout un sermon sur l'importance de dire toute la vérité.

— Vous m'avez appris la méfiance. Ou, mieux, la prudence.

— Vous avez parlé à vos collègues de la clinique ?

— Je leur ai tout expliqué. Il y avait une lettre de Pierre-André sur mon bureau. Il l'a déposée là avant de quitter Valrose. Éléonore, elle, était partie avant mes vacances et n'est jamais revenue.

— Vous n'avez plus de secrétaire médicale, alors ?

— On s'arrange. Jeanne apprend très vite. Elle est étonnante, cette fille que j'ai embauchée juste au moment où celle qui avait postulé s'est désistée. Je suis douée pour les actions spontanées. Ça marche toujours. Et vous, Rodolphe ? Comment ça se passe ? J'ai parlé au docteur Raymond. Il m'a raconté.

— Je ne sais pas comment le remercier. Il a été tellement présent auprès de ma Géraldine, et le personnel de cette maison est tellement dévoué. Au-delà de ce que l'on peut souhaiter. J'ai demandé aux visiteurs de faire des dons à la *Maison Soleil.* C'est mieux que rien du tout.

— Comment voyez-vous l'avenir ?

— Il y a deux jours, je voulais mourir. Depuis, j'ai changé d'idée. La vie est pas mal plus forte que l'on pense.

— Je viendrai vous voir toutes les semaines. Et si vous êtes malade, vous m'appelez. On a trop de choses en commun, désormais.

Elle avala le reste de son café, embrassa chaudement son vieux patient, celui de toutes les vérités, et quitta la petite maison du boulevard Notre-Dame.

Deux vies venaient de prendre un autre itinéraire et allaient sans aucun doute de nouveau se croiser.

FIN

Lisez
L'enfant, tel un jouet brisé
la suite de la série médicale VALROSE